加速する
中国　朱建榮 編著

ポストコロナ時代の　岐路に立つ
アジアを考える　日本

花伝社

加速する中国／岐路に立つ日本
——ポストコロナ時代のアジアを考える

目次

第一章 「One Health の時代」の感染症対応
——微生物との共存に向けて

賀来満夫（東北大学名誉教授／東北医科薬科大学医学部特任教授）

はじめに

　古くて新しい病気、それが感染症である。感染症は微生物が原因となって起こる病気であり、私たち人類は以前から、感染症の脅威にさらされ、生活してきた。近代以降の公衆衛生の普及や優れたワクチン、抗菌・抗ウイルス薬の開発によって、感染症は一見制圧できたかにみえたものの、感染症の問題は以前にも増して大きくなってきている。すなわち、感染症には国境はなく、人の活発な移動がその広がりを加速し、人と家畜・野生動物、そしてそれを取り巻く環境が変化することにより感染症は拡大していくことになる。

　新型コロナウイルスの感染症は、世界中で今も拡大しており、多くの人がその対応に努力を重ねている。ここでは、すべての世界の人々が、新型コロナウイルス感染症にどう対応していかなければならないのかを述べていきたい。まず前半は、感染症が脅威になっている、その新しい話題も含めて、紹介する。

One Health と感染症の歴史

　2021 年 2 月現在、世界で 1 億人以上の人達が感染している（WHO）ことからも、新型コロナウイルス感染症（Coronavirus disease: COVID-19 ）は驚異的な感染症ということができる。

　はじめに、「One Health の時代」の感染症について考えたい。感染症は今も世界的に流行しているが、歴史をたどってみると、7世紀に書かれた『日本書記』の中に「疫病（えやみ）」という言葉が出てくる。伝染病という意味である。古来、日本に限らず、中国でもヨーロッパでも、伝染病、感染症は非常に脅威そのものとして捉えられてきた。

　江戸時代、恐れられていたものが三つある。一つが地震、一つが火事、もう一つが感染症だ。ここでの感染症とは「お役三病」とよばれた天然痘、はしか、水疱瘡などを指す。

　天然痘は人類が初めて制圧できた病気である。現在、地球上から天然痘という病気はなくなっている。感染症の中で地球上からなくなったのは、天然痘だけである。天然痘は、全身に発疹ができる、死亡率が非常に高いウイルス感染症であり、古来より有名人も感染していることが知られている。例えばエジプトのラムセス5世。ミイラが残っているが、その頬のところに天然痘の痕があると言われている。ロシア皇帝、フランス皇帝も天然痘にかかったという。仙台のかつての藩主である伊達政宗、あるいは光明天皇や夏目漱石が感染した病気でもある。

　多くの人が、風邪を引いたことがあるように、風邪を含め、感染症は、誰もがかかる最も普遍的な病気である。糖尿病、心臓の病気など、さまざまな病気があるが、感染症は、それこそ幼少期から誰でもかかりうる病気だと言えよう。

　今回の新型コロナウイルス感染症について考える時、二つの大きなキーワードが浮かぶ。「動物由来」、そして、「環境由来」である。

●ヒトの健康は動物や環境とつながっている
●様々な職種（医療従事者や獣医師など）が連携協力していくこと（コンソーシアム）
●成し遂げていくためには以下の疾患の理解が必要

・ヒトの間で広がる病気、動物の間で広がる病気、環境から広がる病気の情報を共有
・その広がり方や多様なヒト由来、動物由来、環境由来微生物の認識

Healthy Humans　ヒト
One Health　Healthy Animals　動物
Healthy Environment　環境

図 1-1　One Health コンセプト

　これまで人類が経験してこなかった新しいウイルス、あるいは病気を引き起こす微生物が出現し、動物を通じてヒトに感染症を起こしている。これが「動物由来」。

　もうひとつの「環境由来」には、自然災害が大きく影響する。東日本大震災、最近では熊本地震。日本各地に繰り返し、大雨、台風が襲ってきている。さらには地球の温暖化も進んでいる。こうなると、環境が悪化することによって、環境由来の微生物や衛生環境の悪化に伴う感染症が発生してくる。

　2004 年 9 月にアメリカの野生生物保護学会（Wildlife Conservation Society）という学会が、One Health（ワンヘルス）を提唱した。地球上には人間だけではなく様々な動物が暮らしており、土や水を含めた環境も存在する。One Health というコンセプトは、これまで私たちはヒトの健康ばかりを考えていたのだが、そうではなく、ヒトと動物と環境というのは、密接に関連しており、ヒトの健康は、動物や環境とつながっていることを指している。

　ヒトの間で広がる病気はあるが、動物の間で広がる病気や、環境から広がる病気もあるということをしっかり捉えていくこ

とが、最重要課題になっている。医学領域でも、その他の領域でも、この One Health という言葉が、今後、大きなキーワードになっていくと考えている。

近年流行した感染症 1 ：新型インフルエンザ、中東呼吸器症候群

　2009 年、新型インフルエンザが発生し、世界的な大流行となった。それから 3 年後、中東で広まった中東呼吸器症候群（MERS）という感染症は、アジアでも感染者が報告されることとなった。H7N9 という鳥のインフルエンザウイルスはヒトに感染した。エボラ感染症は、現在も繰り返しアフリカで流行している。このように、新しい感染症や過去にあった感染症（これらを新興・再興感染症と呼ぶ）は現在も次々と起こってきている。

　2009 年、新型インフルエンザが流行した当時は多くの人々がマスクをしていた。新型コロナウイルス感染症の流行の中で誰もがマスクをつけている今と同じ状況なのである。この時は、メキシコとアメリカの国境付近で流行った感染症が一気に世界中に拡大して感染者を出し、41 年ぶりとなるパンデミックの世界的な流行となった。

　この感染症をたどると、10 年ぐらいの間に豚や鳥・ヒトに感染したインフルエンザウイルスが豚の体内でハイブリッドを起こしてまったく新しいウイルスになり、ヒトに感染したことが明らかとなった。

　アラビア諸国で MERS が流行しているが、これは MERS コロナウイルスによる感染症で、今回の新型コロナウイルスと同じベータコロナウイルス属である。日本語では中東呼吸器

症候群、もしくは中東（ミドルイースト、Middle East）、呼吸器（レスパイラトリー、Respiratory）、症候群（シンドローム、Syndrome）の頭文字をとって、MERSと呼ばれている。

アラビア諸国には、ラクダが多数生息している。MERSコロナウイルスは、ラクダが持っているウイルスであり、ラクダからヒトに感染する。もともとはコウモリが由来のウイルスだと考えられているが、若いラクダの口の中や鼻の周りには、MERSコロナウイルスが生息している。ラクダは、砂漠を飲み食いせずに歩き通せる動物で、ヒトと共に生活してきた。アラビアではラクダはとても大事にされており、ラクダを処分することができないので、感染源を絶つことができず、MERSは未だに感染が続いている。そのため、中東に旅行に行った時は、感染の可能性を考えてラクダツアー等は避けるべきである。ラクダの尿を薬として飲んだり、生のミルクを飲んだりすることを介しても感染の可能性がある。

近年流行した感染症２：エボラ出血熱

エボラ出血熱も世界的にパニックをひき起こした感染症の一つである。タイムズ誌という世界的に有名な雑誌の表紙に、「エボラファイターズ：エボラと戦う人たち」の顔写真が掲載されるほどのインパクトであった。

エボラウイルスは、もともとコウモリが持っているウイルスである。ジャングルの中で、コウモリが飛びかいながら、尿や糞をする。それが動物にかかって感染する。それらの動物がヒトと接触することで、ヒトが感染すると考えられている。

また、日本では、コウモリと直接接触するような場面はあま

りないと思われるが、西アフリカにはコウモリを食べる風習がある。コウモリを調理している時に感染するのである。このように、食文化に関係して、いつでも感染しえることとなる。

　これらの感染症を考える時に、二つの共通点がみえてくる。一つは、科学的な技術が発達したことで、今までは風土病だとされていたものが、新しい感染症だったと分かったということである。エボラもかなり前からアフリカでは風土病として知られていたが、科学技術の発展でエボラウイルスが原因であることが分かったのである。もう一点は、動物由来であるということであり、動物と人が関係する場面が増えてきて、ウイルスを保有している動物との接点が以前よりかなり多くなった。21世紀になって、従来より、人間と動物が近くなってきたことも大きい。新型インフルエンザは豚、MERS はラクダ、H7N9 は鳥、そしてエボラはコウモリというふうに、近年流行した感染症のすべてが動物由来なのである。

2020 年、新型コロナウイルス感染症の発生

　2019 年 12 月 31 日に、中国の武漢という 1000 万人を超える人口を抱える大都市で原因不明の肺炎の発生が報告され、その感染は瞬く間に世界中に広がった。五大陸すべてで感染者が確認され、WHO は 2020 年 1 月 31 日に「国際的に懸念される公衆衛生上の緊急事態（PHEIC: Public Health Emergency of International Concern）」に該当すると宣言し、その後 1 年で、世界で 1 億人を超える人たちに感染が広がった。新型インフルエンザウイルスが大流行した時にもパンデミックという言葉が使われたが、重要なキーワードとして、この「パンデミック」

という言葉がある。世界的な流行の広がりを見せる感染症のことをパンデミックと呼んでいる。

コロナウイルスは、テレビや新聞などでもその形態を示した絵や写真が紹介されているが、ウイルスの表面に突起のようなものがある。これが、王様のかぶる王冠のように見えるため、ギリシャ語で王冠を意味するコロネという言葉から、コロナと命名されたと言われている。

コロナウイルスは、私たち人間が毎年のようにかかる風邪の原因ウイルスとして4種類知られている。これら4種類のウイルスが、鼻の中などから入り、風邪を引き起こしている。

さらに21世紀に入り、重症化するコロナウイルスが2種類発生した。一つは前述のMERS、もう一つは2003年、香港を中心に発生した重症急性呼吸器症候群（SARS: Severe Acute Respiratory Syndrome）、すなわちSARSで、どちらも動物由来のウイルスである。

したがって、今回の新型コロナウイルスは七番目のコロナウイルスとなる。感染源はわかっていないが、現在、コウモリではないかと推測されている。

抗菌薬が効かない耐性菌

もう一つ、感染症を取り巻く大きな問題がある。抗菌薬が効かない耐性菌である。何十年も前から問題となっていたが、抗菌薬が効かない耐性菌が世界的かつ爆発的に増えてきている。

この耐性菌は、院内感染によってヒトからヒトに伝播していることが多い。院内感染というのは、病院の中で、耐性菌を持っている患者から他の患者にうつることを意味する。例えば、

図 1-2　薬剤耐性菌：動物からヒトへの伝播（ブタの MRSA による感染症）
出典：Euro Surveill. 2008 Feb 28; 13(9): 8051.

耐性菌を持っている患者のケアを行った医療従事者が、手指衛生の不十分なまま次の患者に触れることで、その耐性菌をうつしてしまう。あるいは、耐性菌を持っている患者に使用した内視鏡に耐性菌が付着し、消毒が不十分なままで次の患者に使用する場合など、病院内で手や物を介して伝播する。

　一方、2008 年にヨーロッパで公表された論文では、異なる感染経路が取り上げられていた。論文には、女の子が豚を抱いている写真が掲載されているが、この少女は豚の農場の娘で、豚から感染した耐性菌による感染症を発症したのである。このように、動物からヒトへの感染もありえるということが、ヨーロッパでは 10 年以上前から話題になっていた。

　また、2013 年あたりから、日頃我々が食べている食肉にも耐性菌が含まれていることが分かってきた。もちろん加熱すればその菌は死ぬため、加熱した食品からはうつらないが、調理する際に手をしっかり洗わないと、菌が付着した手で鼻や口に触ることで、菌が体内に入り込み、感染が起こる。ある研究で

は、人は無意識のうちに、1時間に4、5回は口や鼻に手で触っていると言われており、1時間に20回以上と、もっと多いという報告もある（Am J Infect Control. 2015 Feb; 43（2）: 112-4.）。

　インドは発展の著しい国であるが、牛が街中を歩いたり、ヒトがガンジス川で沐浴をしたりといった風習も残っている。ヒトと動物と環境とが一体になっているところである。インドでの調査で、水道の中から耐性菌が検出されたことが報告されている。ニューデリーでは、ある地域に水たまりがあって、そのような場所から、ニューデリー・メタロβラクタマーゼ−1（NDM-1、New Deli Metallo-β-Lactamase-1）という特殊な耐性菌が検出された（Lancet Infect Dis. 2010 Sep; 10(9): 597-602.）。このように、環境の中からも耐性菌が検出されているということから、ヒトの中だけの耐性菌を考えていてもコントロールはできないのであり、ヒトと動物と環境（ワンヘルス）とを一体にして考えていく必要があると言えるだろう。

災害と感染症

　私自身も仙台で東日本大震災を経験したが、湾岸地域では津波が押し寄せ、病院なども含むほとんどすべてが破壊された。避難所では、水、電気、ガスが止まっており、避難者は密着した集団生活をせざるを得ない状況であった。いわゆるソーシャルディスタンスを取りなさいと言われても、取れない状況である。手を洗う水も、飲み水もない。トイレは水が流せないこともあり、汚染状態が続く。さらに夏季の避難により栄養も不足してくる。感染症は、こうした状況の中で起こってくる。

地震や津波ですべてが破壊され、海の水も土も、川の水も混じり合う。そのため、土の中にいる菌が表に出てきたり、川の水があふれたりと、通常の生活では想像できない環境になり、環境中に生息している微生物による感染も起きてくる。

　石巻在住の61歳の男性は東日本大震災で津波に飲み込まれ、女川まで漂流した。その後、避難所生活をしている時に熱や咳などの症状が出現し、呼吸困難となり、ドクターヘリで東北大学病院に緊急に搬送された。東北大学病院での治療の結果、レジオネラ菌による感染症だということが判明した。この菌は、1976年に見つかった新しい菌であり、もともとは土の中や川の水の中に生息している。診断が難しく、菌が細胞の中に入り込むので、普段使用されているペニシリンなどの抗菌薬が効かないのである。

　また、破傷風菌による感染も起こる。破傷風菌は瓦礫を撤去する作業をしている際に、手足が傷つき、その傷口から侵入し感染する。破傷風は、1968年以降予防ワクチンの定期接種が行われているので、67年以前に生まれた方はほとんど抗体を持たないので注意が必要である。

　東日本大震災の後、レジオネラ症と破傷風が相次いで報告された。破傷風の感染者はほとんど50歳以上。瓦礫の撤去は30代の方々も行っていたが、ほとんど感染は起こらなかった。抗体のない年代の方々が感染していたのである。ワクチン接種が重要であるということが、このことからもわかる。

One Health の視点、考え方

　私たちはヒトの地域社会、つまり職場や病院、介護施設、大

学といった環境の中だけで暮らしていると思いがちだが、感染症を考えていく場合、環境だけでなく、動物、食品などがかなりの影響を及ぼしていることを考えていく必要がある。

すなわち One Health という観点から考えると、ヒトだけではなく、動物や環境をしっかりと健全に保っていくということが重要であり、そのためには多領域からの連携による総合的な対応が不可欠である。

WHO は 1996 年に「我々は今や地球規模で感染症による危機に瀕している。もはやどの国も安全ではない」と宣言したが、そこで次に考えるべきことが、まさに One Health なのである。感染を起こす微生物に動物や環境由来のものがあるということ、ヒトの動きがグローバル化し、動物との接触もさらに増え、気候変動など環境の変化もある中で感染が広がっていくという考え方が、今後重要になってくる。

新型コロナウイルスは、皆さんがワクチンを打つことで――実際には世界中の全員が打つわけではないので、終息まではまだ時間がかかると思われるが――この数年の間に、季節性インフルエンザのような感染症になっていく可能性が高いと思われる。ただし、このポストコロナになっても、新たな感染症が出てくる可能性は間違いなくある。つまり、One Health という考え方をつねに持っておくべきだということも重ねて強調したい。

新型コロナウイルス感染症を理解する

私は感染症を 40 年以上専門としているが、感染症に対応する方法は、皆さん方とまったく同じである。特別な対応をとっ

ているわけではないが、感染症対応を行う時のひとつのキーワードとして、「情報」を常に念頭に置いている。

　まずは、新しい情報を知ることが重要である。知は力なりという言葉があるが、まさにその通りで、知識や情報、新しい事実を、できるだけ早く知っていく必要がある。新型コロナウイルスも、2019年12月31日に初めて報道されて、世界中に広がり、大混乱が起きた。当初は、接触でうつるのか、飛沫でうつるのか、感染方法がわからなかった。しかし、どんな病気の起こり方をするのか、感染対策をどうすればいいのかなど、だんだん新たな事実が積み重なってきた。情報を知ることが、感染予防に非常に役立つのである。

　私はかなり早い段階から、新型コロナウイルスに関するいろいろな情報を発信してきた。情報の共有も非常に大事である。

　新型コロナウイルスは環境の中でも生息することができるが、短い期間しか生息できない。それに、すれ違っただけで感染する可能性は低い。

　街全体にリスクがあるというわけではない。重要なのは、東京の中に、うつりやすい、感染しやすい場所や状態があるということだ。あくまで、そういった場所に注意しなければいけないのである。

情報リテラシーの重要性

　このように、わかってきたことや情報をリアルタイムに共有することはとても大事である。とはいえ、テレビ、インターネット、SNSにはありとあらゆる情報があふれているが、その実態は玉石混淆である。その中で正しい情報を読み解いてい

く必要がある。

　ひとつの例として、医学情報について考えたい。医学部では6年間学ぶ。そこで習得する医学的情報は、1950年代にはその量が2倍になるのに50年かかると言われ、1980年代には7年と言われた。それが今から10年前には3.5年になり、今年に入ってからは、医学的情報が2倍になるのには、たった0.2年しかかからないと言われている（Trans Am Clin Climatol Assoc. 2011; 122: 48-58.）。必要となる情報は驚異的なスピードで増えつづけている。

　そこで、重要となるのがAIの活用である。新しい医療情報を医療従事者が的確に得るためには、AIを活用して情報を入手し、膨大な情報の中から、より正しいと思われる情報を使っていかなければならない。まずは情報をいかに吸収し、共有化できるかがポイントとなる。

新型コロナウイルスについてわかってきたこと1：会話することで感染が広がる

　新型コロナウイルスは環境から伝播しないということではないが、主要な感染伝播経路はヒトからヒトである。ヒトとの距離が近くなる時、ヒトと接する時に注意が必要であることが、感染症対策の最も重要なポイントである。

　感染が広がりやすい場所はどこなのか。それが、三密（密集、密接、密閉）とよばれる状況である。換気の悪い密閉空間や多くの人が集まる狭い場所で近くで会話をしたり、歌を歌ったりする際に注意が必要である。会話をする時は、おおよそ1、2メートルの距離に近づくが、これが、まさに微生物が伝播しや

飛沫感染（咳・くしゃみ・会話・荒い息・大声）

1. 飛沫感染（咳・くしゃみ）
感染した人の咳・くしゃみ・鼻水などの飛沫（とびちったしぶき）の中に含まれているウイルスを吸い込み感染

2. マイクロ飛沫感染（会話・歌・大声・荒い息）
・感染した人との会話、歌、荒い息がかかる近距離（1－2m）
・空気の流れによるやや離れた距離（3－5m）

＊空気中に漂う小さな飛沫（マイクロ飛沫）を吸い込み感染

図 1-3　新型コロナウイルスの伝播の特徴—1

すい距離になる。

インフルエンザウイルスが鼻の中で増えるのに対し、新型コロナウイルスは鼻の中でも口の中でも増える。つまり新型コロナウイルスは唾液腺や舌の上で増えることが分かってきた。そのため、歌ったり、大声を出したり、あるいはジョキングのあとのような荒い息でウイルスが飛散し、近い距離にいる人が感染することとなる。

政府専門家会議から出された分析では、人が複数人集まり、会話やコーラスなどを楽しむような場で感染するという、非常に感染を防御しにくいウイルスだということがわかってきた。特に、酒の席が問題となっているが、酒を飲むと、聴覚細胞が麻痺を起こし、大きな声を出さないと聞こえにくくなる。そこで大きな声を出すことで、その人がウイルスを持っていれば口から飛沫（ひまつ）と共にウイルスが飛び散り、周囲の人が感染することとなる。

また、会話をする時にマスクを外すことでもリスクが高くなる。特に食堂や喫茶店などで、マスクもつけずに会話していると、感染する可能性が高くなる。あるいは寮などで生活してい

ると、どうしても密な状態になって生活するため感染しやすくなり、クラスターが発生しやすくなる。

新型コロナウイルスについてわかってきたこと２：マスクの重要性

　微生物の伝播を100％防ぐことはできないが、リスクを下げることはできる。そのためにはできるだけ多くの感染対策というフィルターをかけていくことが重要である。

　飛沫感染の場合は、くしゃみや咳で微生物が鼻や口から飛びだし、１メートルから２メートルぐらいの距離で、それを吸い込むことで感染する。今回、特に分かってきたことは、前述したように、咳やくしゃみだけではなく、話したり、歌ったり、大きな荒い息を出して、小さな飛沫により感染するということである。この、空間にふわふわと浮いている飛沫をマイクロ飛沫と呼ぶ。ある実験では、「ワン・ツー・スリー」と話すだけでも、マスクをしていないとかなりのマイクロ飛沫が口から飛んでいることが明らかになった（Thorax. 2020 Nov; 75 (11): 1024-1025.）。まして咳やくしゃみだと相当な量の飛沫が飛んでいく。咳やくしゃみをした時、ヒトの飛沫は3000個から４万個飛ぶといわれている。また会話だけでも、飛沫にかなりの微生物が含まれているために感染が起きることとなる。そのため、マスクをしていれば、咳やしぶきやマイクロ飛沫が広がることや鼻や口に吸いこむことをかなり防ぐことができる。

　スーパーコンピュータ富岳を用いて、マスクの効果が確認された。その結果では、布マスクでは、不織布マスクより、口から飛び出す飛沫量や吸いこむ量が多くなるという結果が出てい

る。各種マスクで、飛沫を防ぐ効果が100%ではないことがわかっているものの、マスクをつけることで飛沫感染をかなり防ぐことができる。

このことは新たなエビデンスとして理解され、ユニバーサルマスキング（人と一緒にいる環境では、常にマスクをつける）という概念も新たに生まれてきている。

新型コロナウイルスについてわかってきたこと3：換気の重要性

マスクに加え、換気が大切である。窓を閉め切った部屋など密閉された環境では、ふわふわと舞っているマイクロ飛沫が部屋の中に充満するが、換気を行うことで、部屋の中のウイルス量を少なくすることができる。窓は1時間に1回、5分から10分開けるか、常に部屋の窓を5センチから10センチぐらい開けておくことでも、効果があるとされている。

新型コロナウイルスについてわかってきたこと4：手洗いの重要性

手洗いも感染症対策の基本であり、手についた細菌やウイルスを洗い流すということが非常に重要である。手についただけでは、新型コロナウイルスは身体の中に入っていくことはなく、感染はしない。ウイルスが、手の皮膚を突き破ってまで侵入することはないが、感染した人の触った物や場所に手を触れると、手にウイルスがつき、その手で自身の鼻や口に触れることで、感染する。ウイルスのついた手でドアノブや、スイッチに触れると、ウイルスがつく。そこに触ると、また別の人の手にウイルスがつき、その人がウイルスのついた手で自分の鼻や口に触

接触感染

1. 直接接触感染
感染した人の身体（特に鼻・口・眼などの粘膜）に直接触れることで、ウイルスが手に付着、その手で自分の鼻・口・眼に触れ感染

2. 間接接触感染
感染した人が触れたドアノブ、スイッチ、手すり、電話（ウイルスが付着）に触れることで、ウイルスが手に付着、その手で自分の鼻・口・眼に触れ感染

図1-4　新型コロナウイルスの伝播の特徴―2

れることによって、次々と感染する。このようにして、感染が拡大していくのである。

パキスタンのカラチでの研究では、米国CDCという世界有数の感染症専門機関が、いつも石鹸で手を洗っている家庭と、そうでない家庭とを1年間比較したところ、石鹸で手を洗っている家庭の子どもたちは肺炎が50％減り、下痢も60％程度減ったという結果が報告されている（Lancet. 2005 Jul 16-22; 366(9481): 225-33.)。

家族内のインフルエンザ感染は、手洗いをすることで58％減少し、小学校で石鹸と流水の衛生教育をしっかりやると、インフルエンザが半分ぐらい減ったという結果も出ている。手洗いの頻度を高めることで、インフルエンザの感染リスクは減少するし、新型コロナウイルス感染のリスクを下げることも分かってきた。

ウイルスがついているかもしれない手をいかに早く洗い流すかがポイントである。水だけでは十分には洗い流せないが、アルコールを用いたり石鹸で洗ったりすると、ウイルスを死滅させることができる。

特に共用トイレの入り口のドアノブ、水道の蛇口、タオル、

水を流すレバー、手すりなどにはウイルスが付着している可能性がある。感染者が多く発生したクルーズ船の調査では、感染した人の部屋のドアノブ、トイレのレバー、ひじ掛け、テーブル、テレビのリモコン、電話など、手で触るところからウイルスが検出されており、よく手で触れる場所（高頻度接触面）を消毒することが感染対策上、重要である。

また、消毒については、アルコールだけでなく、食器用洗剤、洗濯用洗剤も効果があるということが分かってきた。北里大学による研究では、界面活性剤を含む家庭用洗剤を100倍に薄めて使用しても効果があることが明らかになった。

感染対策の実践のポイント

感染対策は、個人ではなく社会全体で確実に行っていかなければならない。マスクをし、手で鼻や口や目に触らない。そして石鹸による手洗いをする。加えて環境の衛生を総合的に行っていかないといけないことを理解し、実践することが重要である。三密は避け、マスクをつけ、手洗い、換気、大きな声でしゃべることをやめる。これらを組み合わせて実践することで、確実に感染リスクは下がっていくのである。

家庭と学校、職場も感染の場所になる。滞在時間が長く、家族は一緒に過ごすため、家庭内感染が多いのは当然だと言える。つまり、社会生活の中で感染症が伝播しないということはありえないのである。

> ● 人との接触時や環境に注意する
> ● 三密（密閉、密集、密接）を避ける
> ● 手洗い、マスクの着用、換気、環境消毒
>
> 第一波の際の感染対策と同様に会話・大きな声の発声・飲食などに注意することで、感染リスクは確実に下がる

図1-5　感染防止のポイント

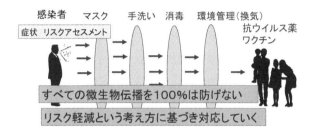

図1-6　総合的な対応と基本の遵守

感染予防のための活動の継続

　オリンピックなど多くの人が集まるイベントや災害などの時に感染リスクは高まることが知られている。そのためには、平時から、いろんなことをお互いに学び合う、情報を共有することが大事になってくる。

　私たちは2002年から、子どもたちを対象にした「キッズ感染セミナー」を継続して行っている。

　菌が入っているプレートを見せることや、実際に自分の口や鼻の中の菌を顕微鏡で見る経験を通じ、自分の体の中にも菌が一緒に住んでいるということを教えている。子どもたちは、「マイ　バクテリア」と呼んで、怖がることなく、理解を深めているようである。2014年には、「おてて、テトテト」という手洗い歌を作成し、歌を歌いながら、手の正しい洗い方を子ど

・2002年より
・小学生（中高学年）・保護者

・手洗い講習　・グラム染色
・手洗いダンス

・2014年からは
　"おててテトテト"（手洗い歌）を
　活用し、幼稚園・保育園児も対象

図1-7　キッズかんせんセミナーの開催

子ども向け手洗い歌

市民向け感染予防ハンドブック

図1-8　市民向け教育啓発用資料の作成と配布
出典：ウェブ配信：http://www.tohoku-icnet.ac/cooperation/images/kyg_0228.pdf

もたちに伝える活動を行っている。この活動を通じ、私たちは
微生物と共存していること、だからこそ、マスクをつけて、手
洗いをすることが重要だとわかってほしいと願っている。

　手洗い歌「おてて、テトテト」や、東日本大震災のあとに作
成した市民向けの「感染予防ハンドブック」は、東北大学の
ホームページで公開している。新型コロナウイルスに関しては、

2020年3月に、東北大学と東北医科大学共同で「市民向け感染予防ハンドブック」を作成し、それぞれのホームページで公開している。2020年12月に第3版を公開したが、ダウンロード回数は、通算100万回を超えている。

さいごに

2021年初頭の現在、100年に一度といわれる新型コロナウイルス感染症の脅威にさらされている。

今後、地球環境のなかで、さまざまな感染症が起こりえることが予想され、人、動物、環境、微生物が調和し、共存していくためには「ワンヘルスアプローチ」という考え方が必要不可欠である。

世の中には様々な病気があるが、感染症は1人の人が病気になると、広がっていき、他の人たちも同じ病気になる。このような病気は他にはない。1人の病気が個人を超えて、社会全体

図1-9 「東京iCDC」始動 感染症対策の拠点

● 感染症は社会全体のリスクであるとの認識を共有する
● 感染予防のポイントなどについての情報を共有し、理解を深めていく
● 感染症対策に社会全体で取り組んでいく

感染症危機管理ソーシャルネットワークのなかでの対応が一番のワクチン

図 1-10　ソーシャルネットワークの構築

の病気になる。これは感染症だけがもつ特徴である。誰もがかかる病気であるということを是非ともご理解いただきたい。

対策には、ネットワークを作って取り組むことが重要である。東京都は、東京 iCDC を 2020 年 10 月からスタートさせ、私は座長を務めている。東京 iCDC が目指すのは、都民とのネットワーク作りである。ソーシャルネットワークを通じ、地域全体で感染症対策に社会全体で取り組んでいくのも、ある意味ワクチンと同等の働きをするのではないかと考えている。

今や感染症の問題は「社会全体の危機：クライシス」そのものである。感染症は永遠の課題である。微生物も地球上に生きている生命体であり、「ワンヘルス」の中に微生物も含まれている。「ワンヘルス」という世界の中で微生物と共存し、どのように感染症をコントロールしていくかが、私たちのこれからの課題である。

そのためにはまずは、「ワンヘルスアプローチ」の考え方を理解すること、そして感染症の課題に取り組むため、安心・安全な社会の実現に向けて、行政、大学、医療・保健機関、自治体、企業・団体、メディア、国民の皆様を結ぶソーシャルネットワークを構築していく必要があり、世界を結ぶネットワーク作りが重要となる。すべてのキーはヒューマンネットワーク。これが、もっとも重要なワクチンだと信じている。

第二章　今後10年の米中関係

——ボスライオンと巣立つ若い雄ライオンの死闘

朱建榮（東洋学園大学教授）

中国は史上初めて米国にライバルと目された

　2021年1月末、米新政権の国務長官に就任したブリンケン氏は最初の記者会見で、中国との関係を「ほぼ間違いなく我々の多くの将来を規定する、世界で最も重要な関係」と定義し、「競争的な関係ではあるが、協力的な関係でもある」と語った。バイデン大統領も2月4日、国務省で行った初の外交演説で中国について、「協力可能な分野では協力する」が、「最も深刻な競争相手」と位置付けた。

　米国の最大のライバルに「格上げ」されたことに、中国人の大半は複雑な心境である。ここまで唯一の超大国の米国から直視せざるを得ない大きな存在になったことには、ひそかに誇りに思うところがある。筆者も30数年前に初来日する前、中国の中で最も「裕福」と羨望された上海でも、極端に倹約で窮屈な少年と青年時代を過ごした。黄土高原などの貧困地域では外出時に着用するズボンが一家族に一着しかなく、交替で穿いたというような「貧乏物語」をよく聞く。経済統計上、当時の中国は一人当たり国民所得が世界最貧国の水準だった。20年前でも日本ではまだ、「中国人」と言えば、「蛇頭」（中国の黒社会、マフィア組織）の斡旋で大勢密入国したり、オーバーステ

イ（在留資格なしの日本滞在）したり、多発する犯罪活動など
が頻繁に報じられる「哀れな存在」だった。しかしこの中国が
今、米国から「経済や技術、軍事面で追い抜かれる」と恐れら
れる存在になった。

　一方、中国は急成長したとはいえ、一人当たりの国民所得
は、先進国に比べればまだ低く、人口の半数近くの年間収入が
5000米ドル（約60万円）以下と李克強首相が認めている。オ
リンピック競技に例えてみれば、中国は経済や技術の一部の種
目でメダルが取れる水準まで伸びたが、すべての分野で優勝候
補の選手を抱え、総合チャンピオンである米国にはまだまだ大
きく水を開けられている。中国が先進国と肩を並べるには、経
済面では「中所得国の罠」を乗り越えなければならないし、社
会と政治面では法治国家づくり、真の民主化、民族融合など多
くの課題が未解決のままである。このような中国が、なぜ米国
にとって最大のライバルになったのか、実は大半の中国人は首
を傾げている。

　トランプ政権時代に急速に激化した米中両国間の対立と摩擦
は、新型コロナウイルスの蔓延によって増幅され、2020年の
後半は「自由落下の物体」と形容されるほど一直線に悪化した。
中国側指導者はその間、米中関係が最悪の正面衝突の状態に陥
りかねないことまで覚悟し、新冷戦ないし局地的な軍事的対抗
への突入に関する心理的、物理的準備をひそかに進めていた
（後述）。この対立と緊張はもしかすると、中国の進路、米中関
係の構図、ひいては世界の未来を変えてしまう転換点だったと
数十年後に振り返られるかもしれない。その転換を劇的に加速
させたのは新型コロナウイルスの地球規模の感染拡大だった。

2021年3月、濱口竜介監督の映画『偶然と想像』が第71回ベルリン国際映画祭で銀熊賞を受賞した。偶発的な出来事が生活の軌道を大きく変えてしまうというストーリーだった。

　米中関係に対立が高まる一定の必然性があるが、ここまで劇的に緊張が高まることに、「コロナ」という「偶然」は最大の触媒、「転換促進」の化学添加剤となった。

コロナが米中緊張を激化した「触媒」

　米国のエリート層、ここでは米政府の政策決定者層を指すが、オバマ政権時代の後半からすでに「中国脅威論」が台頭し、対策を取り始めた。例えば中国では、南シナ海問題に関して米側が初めて明確に、他国と組んで中国に対抗する姿勢をあらわにしたのは、2010年秋、ハノイで開かれたAPEC会議で、ヒラリー・クリントン国務長官（当時）が行った演説だったと見られている。2016年11月の大統領選に向けて、必勝態勢で臨んだクリントン候補の背後にあった民主党系ブレーン集団は日本と組んで、外交安保面では「インド・太平洋戦略」、経済面でTPPを両輪として推進する戦略を着々と練っていた。それは間違いなく中国包囲網を念頭に置いていた。

　ところが、ふたを開けると、大統領選はトランプ氏が勝利した。トランプ大統領は中国戦略があるわけでもなく、よく指摘される通り、すべて「選挙で勝つため」に動いていた。だから、就任当日、TPP脱退の大統領令に署名した。2017年11月に訪中して経済貿易分野の「ビッグ・ディール」の合意を発表したり、日本や韓国、欧州の同盟国に「もっと防衛費用を出せ」と迫ったりして、米国経済の振興──「アメリカ・ファースト」

――を進めてきた。

　ただ、中国が経済、技術、軍事力、国際的影響力など全方位的に急速に台頭していることに対する、米政府内の対外関係部門の意見は、警戒・抑止へとすでに集約されていた。2017年12月に発表された国家安全保障戦略（NSS）と2018年に1月に発表された国家防衛戦略（NDS）は中国を初めてロシアと並んで競争相手と位置付けた。

　トランプ大統領自身は2018年5月以降、中国に貿易戦争を仕掛け、これが米中衝突の幕開けと位置付けられる。ただその時点で中国を主要敵と見なし、全面的な対中バッシングを決めたとは言えない。トランプ氏がそこまで中国に圧力を加えたのは、より多くの経済的譲歩を勝ち取り、2020年秋の大統領選へのお膳立てとするためだった。

　しかし「コロナ」で情勢が一変した。トランプ氏は感染者数が米国で拡大した2020年3月まで、大統領選で「圧勝」することにかなり自信を持っていたようだ。したがって2月の段階では習近平主席に電話し、「何か手伝うか」とねぎらったことが後にスクープされている。だが、米国全土で感染拡大にブレーキがかからなくなり、当局の無為無策が傷口を一層広げた4月以降、トランプ氏は「圧勝」するはずの選挙で負けそうになった。勝ちが遠ざかっていくその悔しさと恨みを中国にぶつけるため、これまで抑制していた中国批判を「解禁」、いやゴーサインを出した。ポンペオら対中強硬派はそれまである程度ブレーキがかかっていたが、それ以後やりたい放題にし、毎日のように対中バッシングの措置を繰り出した。中国を最大の脅威とする認識がエスタブリッシュメント層全体に広がる中で、対中批判は文

化、人的交流、軍事、台湾海峡、民族問題など各分野に広まり、米中関係は「修復不能」なところまで悪化が進んだ。

2021年1月中旬になってようやくバイデン政権への交代が明朗化したが、米国民や世界各国のみならず、内心最も安堵を覚えた国の一つが中国であろう。少なくとも、米中関係が一直線に正面衝突に突入する危険性が遠のいたからである。

「コロナ」発生後、当局が一時的に動揺も見せた

中国はここ数年、トランプ前政権による打撃、揺さぶりに防戦一方だった。しかもコロナの打撃を世界で最初に受け、20年春頃、内憂外患というダブルパンチで国民心理にも指導部内でも動揺が一時生じていた。

中国は一見、共産党政権が世論を統制し、表現の自由を完全に抑え込んでいるようだが、実態はそんなに単純なものではない。「権利意識」に芽生えた中間層の人口は、5億人以上に達している。ネットユーザーは10億人を超え、国民の大半は、当局による完全なコントロールが不可能なSNSを利用している。当局の政策・方針に民衆の不満が溜まった時、SNSで政府批判が爆発し、大炎上することは何度も起きた。筆者は別論文で2020年前半、コロナ対策や報道の規制に対し中国のネット世論が三度も大炎上し、政府側がいずれも譲歩したケースを実証している[1]。

1　朱論文「アフターコロナの中国政治社会──聞こえてきた前進の地響き」、東大社研現代中国研究拠点編『コロナ以後の東アジア　変動の力学』東京大学出版会、2020年9月所収。

筆者は中国国内の学者や元高官の友人といつも意見交換しているが、彼らの多くは2018年の憲法改正で「三選禁止」の条項が取り消され、トップの任期制限がなくなったことに失望感を抱き、言論統制強化の動きにも不満を口にしていた。

　しかし2020年4月以降、内外情勢ががらりと変わった。中国でコロナ感染が抑えられ、生活と経済が平常を取り戻すのと引き換えに、欧米先進国、特に米国の対応のまずさ、トランプ政権によるなりふりかまわぬ対中「汚名化」の言動を目の当たりにして、民衆の政府に対する支持が一気に高まった。

　5月初めのGWに、1億人以上が外遊に出て、10月初めの2回目のGWに6億人が全国各地に観光に出かけた。年間GDPは第1四半期が-6.8%という急減速だったにもかかわらず、第4四半期は+6.5%となり、トータルは+2.3%の成長を遂げ、すべての主要国のうち唯一にプラス成長を実現した国になった。7月に香港で「国家安全維持法」が急遽実施されたことに対しても、中国国内ではトランプ政権による中国バッシングを背景に、政府の決断への支持が若者を中心に圧倒的に多かった。

　その間、中国は「責任ある大国」とのイメージを目指して引き続き試行錯誤していった。習近平主席は、2020年6月に開かれたWHOの年次総会オンライン会議で、①2年以内に途上国を中心に20億ドルの国際支援を実施、②国連と協力して全世界向けの人道主義支援用の緊急倉庫とハブを設立、③アフリカの医療施設に重点的支援、④中国ワクチンの開発が完了後、世界の公共財にする、⑤アフリカなど最貧国の債務返済の猶予を実施、という五つの国際貢献の公約を発表した。これは世界

の３分の２の国を占める途上国から高い評価を得た。

　秋になると、中国は WHO などが主導する「COVAX ファシリティ」（新型コロナウイルスのワクチンを共同購入して低所得国にも供給する国際枠組み）に参加を表明（米英は当初、不参加の態度なので自国優先と批判された）、21 年５月まで世界の数十か国に、ワクチンを３億本以上提供し、途上国はもちろん、ヨーロッパでも評判が高かった。

中国は最初から「米国打倒」の陰謀があったか

　このように「大国らしさ」を模索中の中国に対して、米国では「野望を隠し、世界をだまし、米国を一気に圧倒する陰謀を企んでいる」との邪推が流行った。例えば、『The Hundred-Year Marathon』（『China 2049』、日経 BP）著者のマイケル・ピルズベリーは、「中国は最初からひそかに米国打倒を企み、そのための長期戦略を取り続けている」と主張する。しかし簡単に振り返ればすぐ分かるが、中国はこれまで米国打倒を企む余裕も考えも実際になかった。

　建国直後から 1970 年代の末まで、中国は米国の全面的封じ込めを受け、「サバイバル」の問題が最優先だった。1960 年頃は、「大躍進政策」の失敗により、1000 万人単位の餓死者が出て混乱と崩壊を抑えるのに必死だった。1966 年からは文化大革命という内乱が 10 年続き、70 年代後半になると、日本や韓国、台湾はもちろん、ASEAN 諸国に比べても経済発展が大幅に遅れていた。

　鄧小平が 70 年代末に改革開放政策を打ち出し、中国を世界の最貧国レベルから一躍、米国も恐れる新興国、経済大国に発

展させた功績はノーベル経済学賞と平和賞を同時に授与しても過分ではない。わずか40年、一世代の間、8億人以上を貧困から脱却させ（全世界の貧困脱却人口の3分の2以上を占める）、国連では「人類の発展史上の一大壮挙であり、世界の発展のための模範」と評価された（国連事務総長特使兼国連南南協力事務所＝UNOSSCのジョージ・チェディアック所長）。

　中国の成長は日本に比べても目を見張るものがある。1990年の時点で中国の経済規模は日本の8分の1しかなかった。また、2000年より前、中国の国家予算の規模は東京都の予算に及ばなかった。しかしその20年後の2010年、GDP総額が日本に追いつき、2020年になると日本の3倍の規模に「膨張」した。しかしそれは「陰謀」やマジックによってできたものではなく、日本の終戦後の「団塊の世代」が苦労して60年代以降の高度成長を実現したのと同じように、全中国人、特に文革世代（政治の混乱や生活の貧困が身に染みて分かっていた）の夢と汗の結晶だった。

中国が定めた米国追い上げの目標は2050年だった

　ここで言いたいのは、中国は米国に挑戦すべくして今日まで急成長したのではなく、亀とウサギの競争の話のごとく、亀の小さい一歩一歩を積み重ねた結果であって、超大国に挑戦する気持ちも実力もないとの自己意識だった、ということだ。

　筆者はあるオンラインセミナーで、中国はつい最近まで、世界ナンバーワンを実は目指してこなかったと指摘し、その根拠として以下のいくつかを挙げた。

①農耕民族の中国人 DNA には伝統的にも思想的にも、自分の「庭」より外に興味と関心がなかった。
②近代以来の苦い体験、さらに文化大革命の失敗を経て、中国人のほぼ全員は、世界先進国との距離がまだ大きいと考え、「経済優先」にコンセンサスを見出して努力したが、先進国に少しでも近づこうとの考えで頭一杯だった。
③ここ 40 年の発展戦略も、「先進国に倣え」であり、「模倣」がその一部だった。（先進国に追いつき、先頭に立つのはまだ先との認識の裏返し）
④世界ナンバーワンになるための理論も「普遍的価値観」も持ち合わせていない。

　確かに鄧小平時代以来、中国は「韜光養晦」の政策を取り続けてきた。これは中国が経済大国になってから、「爪を隠し、才能を覆い隠し、時期を待つ戦術」と陰謀論的に外部の一部で解釈されたが、中国語の元のニュアンスは、世の中の論争、特に覇権争いから距離を置き、外部環境による自国の発展にとっての阻害要因を解消し、経済発展に没頭するという発想だった。
　かつて、鄧小平が 1980 年を起点に、2000 年までの経済規模の 4 倍増、2020 年までの「小康社会」の実現、2050 年までの「社会主義現代化」の実現（これは具体的な数値目標ではなく、ある種の「中国の夢」の象徴）、という三段階の発展戦略を提起した。習近平政権時代には、ちょうど 2020 年を迎えるということで、それ以降の努力目標を具体的に提示する必要性があり、2018 年の 19 回党大会で、新たな三段階発展戦略が採択された。ここで、2020 年までの目標を第一段階とし、か

つて 2050 年までの実現を想定していた先進国への追い上げを 15 年繰り上げて 2035 年の目標とし、さらに 2050 年には「社会主義現代化強国」との目標、「中華民族復興の夢」が追加された。この 2050 年の目標においては、超大国米国と肩を並べ、一部の分野では追い越すことが構想されている。言い換えれば、2020 年以降の 30 年間においても、中国が世界ナンバーワンになることを中国首脳部も民衆も考えておらず、2050 年に米国と肩を並べられる「一流の強国」になれば万々歳との発想だということである。

「トゥキディデスの罠」説の新しい解釈

　この経緯と中国人の考え方を確認すれば、米国の政治学者グレアム・アリソンが提起した米中間の「トゥキディデスの罠（Thucydides Trap）」について再定義、再解釈をする必要も出てくる。

「トゥキディデスの罠」説とは、古代アテネの歴史家、トゥキディデスにちなむ言葉で、戦争が不可避な状態まで従来の覇権国家（スパルタ）と新興の国家（アテネ）がぶつかり合う現象を指す。紀元前 5 世紀、台頭するアテネと既存の大国スパルタの指導者同士は親しい友人だった。二人とも大国同士の戦争の大きなコストに関する認識を共有し、戦争回避に動いたが、国内世論、相手国への疑心暗鬼を抑えられず、「ペロポネソス戦争」に突入してしまった。それを検証したグレアム・アリソン教授は、追い上げるほうは他国からの承認や敬意を求める「新興国シンドローム」に陥り、既存の優位国は衰退の懸念から新興国に対し恐怖や不安を抱く「覇権国シンドローム」に陥

り、結局不可避的に覇権争いが起きる、このジンクスを「トゥキディデスの罠」と呼んだ。アリソン氏の著書『Destined For War』（『米中戦争前夜』、ダイヤモンド社）は、過去500年間の覇権争いの16事例のうち12は戦争に発展したと検証し、米中それぞれの「覇権国シンドローム」と「新興国シンドローム」のぶつかり合いの可能性へ警鐘を鳴らした。

　しかし当面の米中摩擦の実態を見ると、中国側は、ある程度の「新興国シンドローム」を持つが、まだ覇権国に挑戦する意識が生まれておらず、現行の国際システムは一定の改革が必要と唱えながらも、中国の発展にとって都合がよいとの認識が今なお支配的だ。その意味で現在の米中衝突は、主に米国自身が、21世紀に入ってからアフガン戦争、イラク戦争で国力を大幅に消耗し、2008年のリーマン・ショックを経て急速に下り坂を辿っているため、そこから来る焦りと被害妄想が主要な原因であると言える。

　中国当局も、トランプ政権による対中貿易戦争の背景は、その焦りと覇権固執にあると認定し、「6割法則」を紹介して、国民に対して米国によるバッシングを覚悟せよと説明している。2018年8月9日付人民日報『任平』（「人民日報論評」の略語「人評」と同じ発音）署名論文（社説に次ぐ重みをもつ）では、「中国側の発言が米側を刺激したのがいけなかった」「早く米側の条件を受け入れて妥協すればよかった」との二説への反論として、

　　米国は世界ナンバーワンの覇権を守るために、ナンバーツーの追い上げを絶対許さない行動パターンがある。「6割

法則」と言われ、旧ソ連やかつての日本が米国の国力の6割に追い上げた時も、なりふり構わぬ打撃を受けて蹴り落とされた。中国はまさに今、そこまで差し掛かっている。

　中国の体はここまで大きくなったので、「韜光養晦」をするだけで逃げられない。「一頭の象が藪の後ろに隠れても隠しきれない段階に来ている」。

と説明しており、米国による攻撃を警戒するのが主な考えであった。

5G技術の遅れが中国バッシングの引火点

　21世紀を主導する技術5Gをめぐる競争で、米国がファーウェイなど中国企業に遅れたことが、米側の中国叩きの主因の一つだと指摘されている。トランプ政権の司法長官ウィリアム・バー氏（コロンビア大学で1973年に中国研究で修士。1973年から1977年までCIA勤務、米国最大の通信企業Verizonの上級副社長も務めた）が2020年2月の講演で、「米国の覇権を保証するのは軍事力、米ドル、科学技術の三つであり、そのうち中心は科学技術のリードで、それが米国の覇権を保証してきた」「19世紀以来、米国はすべての主要な科学技術分野で後れを取ったことはなく、世界をリードしているのは米国だった。しかし未来に影響を与える一つの肝心な技術分野で、米国は後れを取ってしまった、これは大変なことだ」「中国の5Gが市場規模を利用してリードすると、半導体分野にも連鎖反応が起こる」との危機感をあらわにした。

　なぜ5G技術がここまで重視されるのか。それ自体は通信速

度を 4G より 5 倍以上上げるだけで、特に革命的な技術ではない。しかしちょうど 21 世紀に入ってから、「第 4 次産業革命」が起きた。人工知能（AI）、自動運転、ビッグデータなどの新技術はいずれも早い通信速度による伝送が必要だ。その意味で 5G は情報化時代の「通信ハイウェー」なのである。

　これを背景とする米国によるファーウェイ叩きの原因について、ファーウェイの輪番会長（集団指導体制を取っており、年に一回トップが交代）郭平氏が 2020 年 8 月 30 日に行った講演で次のように指摘した。

・米国が 5G の研究開発で誤りを犯し、遅れてしまったため、追いあげるのに時間稼ぎが必要。だから必死に中国を叩き、中国のテンポを遅らせようとしている。
・米国は世界中のデータを牛耳り、サイバースペースをその管理・制御下に完全に置くことで初めて安心する。だからライバルの会社や設備が実際に安全ではないという証拠が見つからなくても直接政治化し、汚名を着せることを躊躇しない。

　中国の急速な追い上げ、特にウサギである米国が居眠りをしている間に、亀の中国がコツコツと追い上げ、一部のハイテク分野で米国に脅威を与える存在になったことにはっと気づき、中国を抑え込むのに最後に残る 5 年、10 年の時間を利用して相手を叩き潰すのに全力を上げた、というのが米中摩擦の技術面の背景だと指摘されている。

「ジャングルの法則」から見た中国の立場

　では米国の執拗なバッシングを受けて、中国側の心理と受け止め方はどうだったか。筆者はそれを、若いライオンを追い出す「ジャングルの法則」にたとえると説明しやすいと考える。「お前は体がこんなに大きくなったのだから、この群れへの居候は許さん」と噛みつき、追い出そうとしたわけだ。しかし中国自身は、まだ「大人のライオン」になった自覚がなく、「子どもなら許されるわがまま」を多くやっている。米国や日本の先進技術の物まね、コピー、米国に大量の留学生を派遣してのノウハウの習得、世界各国の科学技術者を高い給料で中国の技術開発に招聘する……。サイバー攻撃で技術を盗む行動が全然ないとも言い切れない。

　これらの行為は「大人」社会では許されないが、実は、「子ども」の時代であればみんなやっている。日本もまだ一人前の技術大国になる前、同じことを欧米でやり放題だった。しかし日本の技術力が欧米を脅かす段階になると、それが厳しく批判されるようになり、1980年代以降、日本が「不正競争」をやっているとして、米国からさんざん叩かれた。台湾も、日本の技術を物まねする名人で、日本の技術を獲っては中国で販売するというやり方で伸びてきた。

　しかし、日本は20年前から中国に脅威を感じ、経済技術のライバルと目してきたが、米国はトランプ政権時代になって初めて本格的に脅威と見なした。

　米国のノーベル経済学賞受賞者ジョセフ・ユージン・スティグリッツ（Joseph Eugene Stiglitz）も2020年7月、ノルウェーで講演した際、「アメリカは絶対ナンバーツーにはなり

たくないから、現実を見ようとしないでジタバタをしている。だが中国は『時期尚早』と考えて、近い将来ナンバーワンになろうとは考えていない」として、米中摩擦の本質は米側の一方的な危機感と焦りによると指摘している。

　意図はともあれ、トランプ政権が中国に鞭をぴしぴしと打った。それに対し、中国は、最初は戸惑い、不満に思い、愚痴をいっぱいこぼしていた（群れから追い出される若い雄ライオンの表情に似ている）。しかし２、３年を経て、中国はようやく「居候」が不可能とあきらめ、巣立つための心理的、物理的な準備と対策に取り掛かった。その間に、ボスライオンは、たてがみは依然格好よいが、その放蕩ぶりにより、予想以上に老衰が進行していることを見抜いた。これで若い雄ライオンはボスライオンと対等になる予定を前倒しにし、10年以内に「反攻」に転じると考え始めたようだ。

　2019年の時点で、中国のGDPはドルベースで米国の67％に達していた。ちなみに世界銀行が使う購買力平価の計算方式に従えば、中国のGDPは2014年末の時点ですでに米国に逆転し、今は米国の120％になっている。ただ、購買力平価方式は一つの参考になるが、国際的にはやはりドルベースの比較が一般的である。しかし後者でも、コロナの影響で差が一段と早く縮まっている。2020年の伸び率は、中国は2.3％、米国はマイナス４％以上で、中国GDPは一挙に米国の７割強まで伸びた。日本経済研究センターを含めた複数の国際的シンクタンクは、GDPにおいて中国が米国に追いつく時点を大幅に繰り上げ、2027年から28年頃と予測している。そして人民解放軍も2027年までの「強軍計画」を立て、すなわち米国に軍事的対決を迫

られても負けない準備を急ピッチで進め始めていると欧米の専門家が見ている。

「製造2025」計画は野心的なものではなかった

　一部の米国の研究者は、中国が2015年頃から「製造2025」という、「技術面で米国を追い抜く野心的技術開発戦略」を打ち出し、「国有企業」という「ゲームルール違反」の体制、さらに「軍民融合」という「汚い競争手段」で覇権を求めようとしている、との見方を出している。

　2015年5月に発表された「中国製造2025」は今後10年間の製造業発展のロードマップを提示したものだが、ドイツの「インダストリー4.0」（2011年）や、米国の「インダストリアル・インターネット」（2012年）といった国家戦略の相次ぐ発表を目の当たりにして学習したものに過ぎない。政府の工業と情報化省（MIIT）の安・情報担当次官は2016年の会議で、「これまで中国は『世界の工場』と呼ばれ、世界第1位の製造規模を誇っているが、製造業のプロセス管理／オペレーションの最適化では、ドイツや米国、そして日本の後塵を拝しているため」と、「中国製造2025」を制定した背景を語っている[2]。

　18年になると、米中貿易戦争が激化し、ZTE、ファーウェイなど中国のハイテク企業が相次いでトランプ政権のバッシングを受けた。米側が中国のハイテク発展戦略に過敏になっ

2 「『中国製造2025』とは何か？　中国版インダストリー4.0による製造改革の可能性と課題」、ビジネス＋ITサイト、2016年11月22日。https://www.sbbit.jp/article/cont1/32928

ていると気づいた中国
側は、対立の緩和を狙っ
て、「中国製造2025」に
触れなくなり、党中央宣
伝部は、「今後、『中国製
造2025』ということを
取り上げてはならず、違
反した場合は責任を追及

写真 2-1

する」との内部通達も出したとスクープされている[3]。

　しかし、トランプ政権から「デッカプリング」を仕掛けられ、中国へのハイテク半導体部品の供給を止められたため、習近平政権は本格的な「ハイテク技術の自立」を力強くサポートする方針を2020年11月の5中全会で打ち出した。ここでは逆に、米国に喉元を押さえられないためのハイテク技術の開発と自立が最重要だと痛感し、本格的な国家戦略に据えたのである。

「軍民融合」戦略は米国からコピー

　中国の「軍民融合」戦略も同じような経緯をたどった。トランプ政権の中国叩きの風潮が強まってから、米国のシンクタンク「先端国防研究センター（C4ADS）」が2019年9月に公表した報告書では、習近平政権が打ち出した「軍民融合」戦略は、「民間企業が取得した外国の技術の軍事転用を進めている」「米

3　「網伝中宣部文件"中国製造2025"被和諧」、RFA、2018年6月27日。
https://www.rfa.org/mandarin/yataibaodao/jingmao/hc-06272018103638.
html

当局者らは、アジア圏やその他地域で米国に対抗する世界クラスの軍事力を構築しようとする中国政府の動きにおいて、この戦略が根幹を成すものになりかねないと危惧している」と分析された[4]。

だがこれも、米国がやってきたことを真似ているに過ぎない。中国では米国の「軍民融合」戦略とその具体的措置、法的支持に関する研究書と研究論文を多く出している[5]。中国専門家チーム執筆の「米国の軍民融合の発展経緯と経験」と題する論文では米国の経験を次のように総括している[6]。

①米国の軍需産業の軍民融合は三段階を経て発展してきた。冷戦前、民営企業が次第に軍需産業の中心になった。冷戦中、軍民融合の試みが始まった。そして冷戦後は、軍民融合が正式に推進され、「軍民一体化」が図られている。

②特に冷戦後、国防戦略の調整に伴い、軍需産業の生産能力過剰が目立ったため、1994年、米議会技術評価委員会が「軍民一体化の潜在力評価」と題する報告書の中で、初めて「軍民融合」の概念を打ち出した。1996年、米国国家科学技術委員会が出した「技術と国家利益」と題する政策文書で、軍民融合を国家戦略として位置づけた。2001年にブッシュ政

4 「中国の『軍民融合』、米国が強める警戒感」、WSJ日本語サイト、2019年9月26日。

5 例えば、黄朝峰『美国国防采購改革與軍民融合實踐』(軍民融合研究叢書)、北京・経済管理出版社、2018年。

6 廣發軍工研究團隊「一文看懂美国軍民融合發展歷程及經驗」、「搜狐」サイト、2018年7月19日。

権になると、21 世紀の圧倒的軍事優位を確保するため、「民間経済で起きているハイテク技術の開花を利用して国防科学技術の飛躍的発展を目指す」ことを強調し、それ以降、「米国の軍民融合は急速な発展を遂げている」。

③米国の軍民融合の方針、法律、支援・奨励措置、各プロジェクト、各担当部署、情報技術を取り組みの重点としていること、大学の研究者を取り込む方法など、「中国が見習うべきものはあまりにも多い」。

　ほかに、中国国務院発展研究センター「軍民融合産業発展政策研究」課題チームが作成した「米国の国防とハイテク企業の軍民融合の発展を推進することによる経験と啓発」と題する長編論文も、「1990 年代以降、米国は軍、軍需工業部門と軍需企業の調整改革、および軍政部門と企業の緊密な協力を通じて、国防科学技術工業と大型民生用科学技術工業が結合する『軍民一体化』モデルを形成し、軍民技術の双方向の浸透と拡散を実現し、完全競争の市場条件の下で軍民融合発展を効果的に推進した」と評価し、「中国が参考し、取り入れるべき」とする経験を十数項目にわたって詳細に分析・紹介している[7]。

　以上より、「軍民融合」のやり方は米国が先に進め、その軍事力と経済技術力の相乗効果をもたらしたため、中国が近年模倣し始めたのであり、中国が「アンフェア」なやり方を発明しているわけではないことが明らかになったかと思う。米国側は

7　国務院發展研究中心 "軍民融合産業發展政策研究" 課題組「美国推進国防科技工業軍民融合發展的經驗與啓示」、北京『発展研究』誌、2019 年第 2 号。

中国の追い上げを抑え込むために、逆に中国の「軍民融合」の汚名化を図っている。日本メディアも、この背景を押さえたうえで紹介すべきで、「強権主義の中国のやり方」とのレッテルを簡単に張り付けるべきではない。

中国の国有企業は「アンフェア」か

　中国国有企業の問題も米国で「アンフェア」と批判されているが、2021年1月18日、中国銀行保険監査会主席の郭樹清氏は第14回アジア金融フォーラムで講演した中で反論を行っている。彼は「ここ10年間、中国の世界成長に対する実質貢献度は平均30％前後に達しているのに、これを否定する動きはしょっちゅう起こり、近年の非難は『国家独占資本主義』に向けられ、『中国には強大な国有経済部門があり、国家産業政策が市場関係を歪めている』ことに向けられている」ことを取り上げ、五つの反論を行っている[8]。

①前世紀70年代末の改革前、中国に非公有経済はほとんどなかったが、現在、民営経済は全経済の60％を占めている。
②中国の産業政策は全体的に市場指向改革と一致している。公開、公平、十分な競争があるからこそ、中国は産業部門が最も完備された国になった。
③中国国有企業が総じて政府から受ける補助金はマイナスである。中国国有企業の税負担は平均して民営企業の約2倍であり、より広範な社会的責任を負っている。

8　「郭樹清在亞洲金融論壇上發表演講」、「新浪網」サイト、2021年1月18日。

④中国の銀行と国有企業の間の財務は完全に独立している。与信市場の競争が激しく、銀行の株主がすでに多様化している背景の下で、国有株式の割合が比較的大きい銀行であっても、国有企業に利益を送ることは不可能である。

⑤中国製品の競争力が比較的強いのは労働権益が損なわれたからではない。過去10年間、中国の労働者の収入は急速に増加し、そのうち農民工の収入水準は2倍近く上昇した。

　筆者も、国有企業、「国家独占資本主義」が米国の経済と技術を脅かす体制上の原因と考えていない。技術的国際競争力を有する中国企業のファーウェイなどはいずれも民営企業で、国有企業はほとんど前列に入っていない。世界に中国への見方を変えさせた中国のIT企業、情報産業の急速な台頭は「深圳モデル」に象徴されるように、市場の競争、資金流動の自由、人材獲得競争の結果であって、国家が関与する「産業政策」によるものではないのだ。

米中の三段階持久戦説

　中国は、トランプ政権によって2018年春以降、貿易や技術面で厳しく叩かれ始めたが、中国の受け止め方と対応の経緯について中国人政治評論家鄧聿文氏（元中央党校の研究者だが除名され、2019年からアメリカ在住）が2020年10月、ドイツメディアへの寄稿で的確な分析を行っている[9]。その幾つかの論点を紹介したい。

9　鄧聿文「中共対美的持久戦」、DW、2020年10月25日。

①今の中国の対米国戦略は、毛沢東が日中戦争の時に唱えた持久戦論に当てはめるとわかりやすい。第一段階は優位の敵である日本軍が攻めてきて、中国は守る（1937年の盧溝橋事件から、1938年末の武漢陥落まで）、「戦略的防御」の段階。第二段階は勝負がつかない互角の戦いである「戦略的対峙」。そして1945年に、アメリカが対日攻勢に出て、中国も戦略的反攻という第三段階に入る。

②米中対抗は2018年5月に米国が中国への課税を宣言したことに始まり、中国はずっと守勢に立たされた。米国の打撃が突然降りかかった時、中国の第一反応は「歯には歯を」、すなわち貿易やその他の問題で米側と真っ向から対立し、反撃できるものがあればすべて持ち出して対等に対抗する、というやり方だった。これは日中戦争第一段階で国民党政府軍が日本軍に対して起こした陣地戦に似ている。

③だが2019年10月と2020年7月中旬の二つの時点まで進むと、変化があらわれた。前の時点で、トランプ政権の「極限的」な貿易戦争の手段に対し、真っ向からの対抗にマイナスが大きいと判断した中国は、第一段階の貿易協定に調印するという「城下の盟」（屈辱的な講和条約）の締結に応じた。2020年7月になると、コロナの発生状況と香港国安法をめぐる対立の中で、米国に強引に対抗すると、中国は特に科学技術と金融の分野で首を絞められるところが多すぎることに気づいた。中国からの報復合戦は米タカ派の仕掛けた罠にかかりかねず、最悪の結果を避けるため、中国は次期大統領が決まるまで我慢を重ねるという戦術に軌道修正した。

④ 2021年から、米中両国は「戦略的対峙」の段階に入り、期間は2025年末までと予想される。この段階の前期は、やはり米強中弱で、米側が仕掛け、中国がそれをかわす、との基本的対立構図だが、双方の実力が接近し、誰も誰かを呑み込むことができなくなる。中国は着々と、経済面で国内循環を主体とする「双循環」発展の枠組みを構築し、新型挙国体制でチップなど米国依存の技術の大部分を解決し、台湾を武力統一する軍事的準備を行い、「戦略的抜け穴と短所」を補い、米国への反攻のタイミングを窺うと予想される。

⑤ これにより、持久戦は2026年以降第3段階に移行する。中国のGDPが米国に追いついても、軍事力を含む全体的な国力は依然として米国より弱いとし、今後100年も米国に追いつけないという見方がある。ただ「戦略的反攻あるいは持久戦」は、もちろん国家の実力に依存するが、国家の意志、民衆の反応、国際援助などの要素にも左右される。もし中国が今後5年間で概ね内循環経済体を構築し、特に一部の肝心な技術で自立すれば、米国側から主導権を奪い、米国の抑止と包囲に対して戦略的反攻を開始する力を持つ可能性が高い。

トランプ政権末期に最悪のシナリオを覚悟

真の危機は、それが生じた時点では表からは見えない。中国首脳部は、トランプ政権による三つの「核爆弾級の対中打撃」がありうると真剣に考えていたことが後に披露された。三つの核爆弾とは、①中国を米ドル中心の世界金融システムから排除、②台湾との国交樹立、③南シナ海の中国人工島への爆撃というオプションのことだ。先に紹介した鄧聿文論文でもこの三つの

最悪なシナリオが言及されている。今から振り返れば、台湾との国交は、（中国から「世界最大のペテン師」と呼ばれ、ヒステリックな反中派になっていた）ポンペオ前国務長官にあと半年の時間を与えればそこまでやったかもしれない。南シナ海での軍事行動に関して画策があった模様だが、最後はペンタゴンに反対された。金融制裁はまず香港、その延長線上に中国も視野に入れられていた。

　三つの「核攻撃」のいずれも現実となれば、中国は全力で反撃せざるを得ず、米中は永劫的な冷戦、ないし熱戦に突入していただろう。米中両軍が一時期、台湾周辺、南シナ海でしのぎを削っていたことも、これで頷くことができる。

　2019年秋、習近平主席は、中央党校で行った演説で40回以上「闘争」に言及した。20年春に習氏が「グローバルのサプライチェーンにばかり依存するのではなく、双循環の戦略を」と提唱したとの論文が年末に披露され、この戦略が11月の5中全会で決定された。これらの対策はみな、「トランプ政権が何を仕掛けてきてもおかしくない」という「底線思惟」（デッドライン思考）に由来したものだった。

　経済面では「双循環」戦略、技術の自立では米国に喉を押さえられている半導体などハイテク分野開発の重点的支援、香港では「国家安全維持法」。そして21年2月4日、中国は「陸上配備型のミサイル防衛（MD）システムの実験に成功した」と発表した。つなげて見れば、すべて「新冷戦」に備える戦略的方針に沿ったものだ。

中国のアキレス腱

　中国の対米持久戦に話を戻そう。若い雄ライオンである中国が大幅に繰り上げて自立させられているが、ボスライオンの米国との対等関係は、このまま順調に実現するのだろうか。実はそれも簡単ではない。中国が真に世界から尊敬され、ハードパワーとソフトパワーの両方を備え持つ超大国になるには、少なくとも三つの挑戦を乗り越えなければならない。これを、三つのアキレス腱と言い換えることもできる。

　第一、経済社会面で「中所得国の罠」を超えられるか。RCEP の加盟、CPTPP への参加表明、EU との投資協定（の大枠合意）は対米戦略を意識したものであると共に、「外圧」を利用して国内改革を促進し、先進経済体への脱皮をやらないといけないとの緊迫感のあらわれでもある。しかし法制化、少子高齢化、社会保障、地域と所得格差など課題は山積する。

　第二、政治面では「開発独裁」モデルから脱皮可能か。中国国民は「衣食足りて礼節を知る」法則に則って、生活と教育水準の向上に伴って権利意識が芽生え始めた。10 億人以上がソーシャルメディア（WeChat など）を利用し、自己主張を強めている。韓国と台湾が 1980 年代後半に経験したように、中産階級の拡大、権利意識の向上にともなって中国の政治と社会の改革を迫る真の試練期は 20 年代の後半に到来すると予想される。とはいえ、14 億人からなる中国の政治体制は、欧米モデルを簡単にコピーすることができない。難しい民族問題もある。「先進国経済」への移行に見合う政治体制を目指す試行錯誤は、今後長く続くだろう。

　第三、世界向けに「中国モデル」の魅力を見せられるか。中

国は現在、「中国特色ある社会主義市場経済メカニズム」を構築中と自認している。言い換えれば、「中国しかできない体制」をこの30年、40年間追求してきたが、国際的な普遍性がないことを認めていることになる。今後、米国と対等な地位を築くには、やはり米国に負けない「普遍的価値観」を構築し、他の国々から認知される必要があろう。中国には、東洋文明、アジア的価値観など依拠できる哲学、思想、歴史的智慧が豊富で、改革開放時代の経験を、共産主義イデオロギー抜きに総括し広げていくことも不可能ではない。習近平主席が「人類運命共同体」を提起したことも素晴らしい。問題はその具体化だ。それを真髄に中国発の普遍的価値観を作り上げていく過程で、台湾問題、南シナ海問題の扱いが試金石になるだろう。

叩かれ強い中国の四つの特徴

若い雄ライオンの自立にとっての厳しい課題を挙げたが、一方、簡単に崩れない、むしろ叩かれ強い、学習能力も抜群、という中国の素質と潜在力も見なければならない。

一つは、大国ゆえの強みを持っていること。中国はまだ発展途上の段階なので、工業化と都市化の波による促進要因が今後少なくとも10年は続くと指摘されている。巨大中国（人口・空間・内需・資金など）は「規模の効果」を有し、強靱性も備えている。局部的な失敗に耐えられるし、新政策を一部の地域で先に実験する（「試点」）コツを掴んでおり、大きな失敗を回避できる。

なお、巨大さがあるがゆえ、中国は「北京発政治」の「同一性」があると共に、14億の人口、広大な土地に由来する「多

様性」を持ち合わせる。北京で厳しい指示、規定が出るかたわら、柔軟性、包容力、潜在力を備え持ち、シリコンバレーに負けない「新深圳モデル」も開花している。今、このハイテク技術開発モデルは合肥、上海、杭州、北京の中関村などに広まっている。

　第二に、人材が豊富である。全国の技能労働者は2億人超、うち高技術の人材は5000万人超、毎年「技工院校」（技術工業系大学）から100万人近い人材を技術開発の第一線に送り出している（20年12月26日付『人民日報』記事）。これほど厚い層の理工系人材の供給は、中国の一か国がすべての先進国の規模を上回るほどだ。トランプ政権下で在米中国人への強い風当たりが起こり、多くの一流人材は米国の大学や研究機関では肩身が狭いと感じた。それに対して中国側は高額の報酬で「海亀」（海外留学生の帰国、の意味）を誘致している。これも少なくとも当面、中国が技術的難題を解決する人材を提供している。

　第三に、資源の集中的使用の能力。中国は鄧小平時代、政策、財源、人材をすべて経済発展に傾斜させる改革開放政策で躍進を遂げたことはよく知られる。そして現在、民間の活力を取り入れ、「持続可能な傾斜的発展」の方向を打ち出した。2008年の四川大地震では日本の東北大地震よりはるかに大きな死傷者数と物的損害を出したが、中央政府からの復興財政支援と共に、経済発展の先進地域である沿海部と中部の19の一級行政区（日本の都道府県相当）がそれぞれ現地の市町村とタイアップして支援を行い、わずか2、3年で現地を震災から復活させた。

写真 2-2　武漢の施設で患者に踊りを教えるウイグル族の医療関係者バハグリーさん
出典：CCTV ニュースサイト、2020 年 2 月 16 日

経済発展の遅れる少数民族地域に対しても、他の地域がそれぞれ一部請け負う形の支援を行い、チベットと新疆の一人当たり所得を中部地域を上回る水準に引き上げた。2020 年初め、コロナの中心的感染地湖北省に対しても、新疆を含む全国各地から 346 チーム、計 4 万 2000 人の医療関係者を送り、わずか 2 か月で現地の危機を救った。新疆のウイグル族医療関係者も武漢に駆け付け、話題になった（写真 2-2）。

　そして第四に、中国は外部の予想以上に強い自己調整能力、柔軟性を持っている。日中戦争前、蒋介石政府軍に追い詰められた毛沢東の赤軍は抗日戦争という大義名分のもとで政府軍への編入を認め、「八路軍」「新四軍」としてサバイバルができた。文化大革命後、政治と経済が袋小路に追い込まれた際、鄧小平が「白猫でも黒猫でも、ネズミを捕まえるのがいい猫」との実用主義で、大胆に西側の資金、技術、経営管理方法を導入し、「社会主義市場経済」という混合体制を作り、現在の経済大国の地位を築き上げた。このように、原則論を言いつつも政策・応用面でかなりしなやかな柔軟性を見せる中国は、今後、国内の政治体制、経済発展モデルおよび外交面で重大な危機に直面する場合、どういう「華麗なる変身」を遂げるか。少なくとも

現体制のスローガン、政策方針の延長で推理するだけでは中国の未来が読めない。

トランプに感謝する中国

2020 年後半以降、中国を対米強気にさせたのは、他の国より早くコロナ感染対策に成功したことが直接の一因だが、外部からの「追い風」もあった。つまり、トランプ政権が責任転嫁で必死な中国叩きをすることにより、中国民衆の大半、特に若い世代に、「民主主義」の灯台として憧れてきた米国への幻滅感をもたらしたのだ。米国による中国叩きは、中国の民主化のためではなく、覇権維持のための口実であり、「中国を崩壊させるのが目的」であると認識された。それならば、習近平体制のもとに結集して闘い、対米依存から早く自立するしかないとのコンセンサスが作られた。

中国 SNS で「我々はどうしてトランプに感謝しなければならないか」と題する記事が出て話題を呼んだ。トランプのやったことは結果的に中国を助けたという意味で、彼に感謝したいと書かれている [10]。

彼は、「中米友好」や「相互利益」は何のその、米国のすべての目標と最終目的は、中国の大国としての台頭と中華民族の偉大な復興を抑制するためだ、という米帝国主義の醜い顔を中国人民の前に晒しだした。

10 「中美事件提醒我們：為什麼要感謝"川普"」、中国「網易」サイト、2021 年 1 月 23 日。

彼は、いくつかの小さな半導体チップで中国科学技術の
リーダー企業の喉元を押さえ、「生かす殺すの権」を握って
いるぞと絶えず威嚇し、再び中国人に「立ち後れれば殴られ
る」という不滅の真理を理解させ、コア技術が他人に支配さ
れるのが最大のアキレス腱だともっと深く認識させてくれた。

そして締めくくりに、次のような展望を描いた。

　10年間の競争は、指導者の能力と魅力にかかる。
　50年間の競争は国家戦略にかかる。
　100年の競争は民族の性格と精神にかかる。

このように、国家間の競争の本質をトランプ氏が「究極的に
理解させてくれた」としている。
　日本の経済評論家も、トランプが中国を目覚めさせたとして
次のように指摘している。

　本来であれば、日米が主導する自由主義的なグローバル市
場に中国を誘導し、国際社会における影響力を削ぐという戦
略が有効であり、実際、米国はそうした戦略を推進してきた。
だが、この戦略をすべて壊してしまったのがトランプ大統領
である。
　トランプ政権が仕掛けた米中貿易戦争によって、米中は完
全に分断されつつあり、中国は内需拡大に舵を切っている。
米国はこれによって中国に対する決定的なカードを失い、中

国を封じ込めることが極めて難しくなった[11]。

　中国の進路には不確定の要素がまだ多いが、仮に中国の自立と米中 G2 の時代の早期到来、ひいては「中国モデル」が世界で広く受け入れられるようなことが起きるとすれば、肝心な転換点がトランプ政権時代であったと考えて間違いないだろう。

米中競争の三つのシナリオ

　では米中関係は今後、どこに向かうのか。一般的に、決着は数年以内にはつかないと見られるが、10 年スパンで見れば三つのシナリオがありうると考えられる。

　第一、アメリカがひき続き、いやもっと猛烈に圧力を加えて中国バッシングを続け、その圧力に中国がついに屈すとのシナリオ。1980 年代の日本は米国による容赦ない圧力に耐えられず、特に半導体などハイテク分野での発展の勢いと世界制覇のチャンスを失った。中国も同様な結末を迎えるか。いわゆる「日本シナリオ」だ。中国がもはやライバルではなくなれば、米国も新冷戦を仕掛けてまで中国を叩き潰す必要がなくなり、今度は中国の崩壊、難民の大量流出に関心が移るだろう。

　第二は「9.11 シナリオ」。すなわち中東や欧州、あるいは北朝鮮などにおいて米国が全力もしくは相当の力を割いて対処せざるを得ない重大な事態が起きる場合、米中競争もしばらく休戦することになる。アメリカ経済が「リーマン・ショック」の

11　加谷珪一「トランプの大失態…じつは『中国経済の台頭』を強力に後押ししていた…！」、『現代ビジネス』講談社、2020 年 12 月 2 日。

ような混乱に再び陥るケースもこのシナリオに含まれる。

三番目のシナリオは、中国が米国に追いつき G2 の世界になること。前述の持久戦戦略で考えれば、中国は「今は我慢の時」、「負けなければ勝ち」との考えで、防戦を中心に、あるいは互角の応酬をしながら、経済力、技術力、軍事力の急ピッチな整備に全力で取り組んでいる。米側は「十年以内に中国をつぶさなければ、もうつぶすチャンスはなくなる」として焦っているが、中国側は、「今後十年間さえ凌げば米国の国力に全面的に追い上げていくチャンスがある」ことを国家戦略の中心に据えている。

ヨーロッパから見た米中競争の行方

地球規模の形勢から見ると、米中間の勝負はどちらに転ぶだろうか。丸川知雄・東大教授は、全世界で見れば中国が最大の貿易相手国になっている国の数は米国の 2 倍に上っており、中国を孤立させる思惑は大半の国から支持されないと指摘している [12]。特にヨーロッパの視点から考えれば、米国側の「楽勝」は難しいことが分かる。

2021 年 1 月 19 日、欧州対外関係委員会（ECFR）が前年末に EU の 11 か国、1 万 5000 人を対象に行った世論調査報告書を発表した [13]。これを詳しく伝えた英ガーディアン紙の記事によると、トランプ氏の大統領任期が終盤に差し掛かる中、欧州

---

[12] 丸川知雄「米中新冷戦でアメリカに勝ち目はない」、ニューズウィーク日本版オフィシャルサイト、2020 年 9 月 8 日。

[13] Majority of Europeans fear Biden unable to fix 'broken' US, The Guardian, 2021, 1.19.

の米国に対する見方が大きく変わったという。回答者の61％は米国の政治体制が「破綻した」とし、「うまく機能している」と考えている人は27％にとどまった。

それによると、回答者の60％は、米国大統領が変わっても、トランプ政権の政策や、コロナ禍による地政学構造上の影響は持続するとし、自国政府は米中と米露の対抗において中立を保つべきだと答えた。

中国に関しては、59％の回答者は「今後十年以内に米国に代わって世界をリードする超大国になる」と見ており、うちスペインが79％、ポルトガルが72％、イタリアが72％、フランスが63％、英国が58％、ドイツが56％、オランダが54％、スウェーデンが52％だった。いずれも5割を上回った。

より重要なのは、多くのヨーロッパ人は、現在は欧州にとってチャンスであり、米国が分裂に陥った際、EU内部は結束力を増進し、自己保護、自己発展の能力を強化すべきだと考えている点である。米国は欧州を永遠に守る「信頼できる」安全保障パートナーだと考えている回答者はわずか10％だった。締めくくりに報告書の執筆者は、「現在、多くの欧州人は米国が世界をリードすることに不信を感じており、より多くの欧州人はEUが国際社会でより独立し、米国に依存しないことを望んでいる」と解説した。

ヨーロッパ各国にそれぞれの思惑はあるが、その「総意」は全世界の勢力均衡、経済貿易構造に無視できない重みを有し、米中競争の方向を左右する力を持つ。

アジア太平洋地域でも同様な見方があらわれている。マハティール・マレーシア前首相はコロナが始まる前の2019年3

月、香港紙『South China Morning Post』のインタビューで、米中貿易戦争でASEANは二者択一を避けたいが、迫られたら自分は豊かな中国を選ぶだろうと発言した。

G2になっても「世界共同運営」の時代

オーストラリアのシンクタンクLowy Instituteの2019年版「アジアの実力指数」（5月28日発表）も、米中日露など25か国、8分野に対する調査の結果（100点満点）を次のように公表した。米国は「軍事力」「回復力」「文化的影響力」など4項目でリードし、総合得点が84.5で第1位を保っているのに対し、中国は「経済力」「未来性」「外交的影響力」など4項目で1位を占め、総合得点は75.9で第2位となり、近年急追している、という。このような結果が見えにくい米中間の勝負について、ほとんどの国は火中の栗を拾って大やけどするのを避けて、両方とうまく付き合い、その中で自国にとっての最大の利益を求めていくだろう。

では仮に、10年以内に中国が一段と米国との総合国力の差を縮め、ほぼ対等な地位を獲得したらどうなるか。中国側の見方だが、米国が中国を押しつぶすことができないことを確認し、また多くの分野や世界各地域で中国の協力も取り付ける必要性の方が増したら、中国との「共存」の道を選択せざるを得ないだろう。これはすなわちG2の世界だ。

しかし、G2の世界になるとは何を意味するのか。二強の世界は大体不安定である。次なる一強時代への過渡期になるのか、世界秩序の再建と維持で協力体制を作れるのか、いずれも未知数だ。中国内政の変化も20年代の後半に臨界点を迎え

るかもしれない。5G、AI、ビッグデータなど第4次産業革命の新技術が世界及び米中関係に及ぼす影響もこれから顕在化してくる。G2といっても、米中二強が世界を決めることはできないし、少数の国が他国の運命を決める時代でもない。米中の拮抗は欧州、日本などにとって、発言力をかえって高めるチャンスになるだろう。ドイツとフランスの首脳はすでに、米中のいずれに対しても是々非々主義でいくという「第三の道」を公言している。その角度で見れば、中国が米国に追い上げることは、世界の多元化が一段と進み、各国が共にルールを決め、地球を共に安定・繁栄させていく責任を持つ、という「世界共同運営」の時代を幕開けさせるワンステップになるかもしれない。

第三章　危機の時代における東アジア
──共通アイデンティティの構築に向けて

白鳥浩（法政大学教授）

I　構造的な地政学の視座の要請

「点」から「線」、「線」から「面」へ

　現代のトレンドは、地域ブロックの形成であることは異論の
ないところであろう。これは欧州を見れば明瞭である。そこに
おいては、地域ブロックとしての欧州連合（EU）を拡充する
ために、国境を越えた欧州アイデンティティという「共通のア
イデンティティ」の形成を目指している。しかしながら、欧州
と比較すると、東アジアにおいては未だ国家を超えた、地域を
視座とするアイデンティティの形成には至ってはいないのが現
状である。

　本論文においては、欧州を一つの引照枠組みとしながら、現
在の東アジアにおける共通アイデンティティをどのように構築
するか、そこに日本がどう資することができるかを考察する。
議論を先取りすると、時系列でみると、戦後期の「一国中心主
義（点）」から、冷戦期の「二国同盟主義（線）」を経て、脱冷
戦期の「地域中心主義（面）」へという日本政治外交を俯瞰す
ることで、それとパラレルな東アジアにおける構造的地政学

（geopolitics）の認識の要請が存在することを示唆するものである。

　2020年現在、東アジアは世界大に蔓延した新型コロナウイルス（COVID-19）という共通の危機に直面している。東アジア諸国は、日本も中国もこの地域に存在するという構造的な地政学（geopolitics）上の桎梏から逃れることはない。こうした共通の危機を抱えていることを契機として、地政学的な視点から同じ地図を共有している東アジアにおいて、共通アイデンティティの構築を模索することは、第二の鎖国状態（「第二次鎖国」）にある日本を含めた東アジア諸国の将来の国際関係の構築に必要不可欠なものではないだろうか。

コロナ禍の「第二次鎖国」から「第二次開国」へ

　筆者がここで、日本の状態を「第二次鎖国」と述べたのは、決して過大な表現ではない。国際化が進展している現代の経済関係を考えれば、人的な国際交流を減少させることは、過去のどの時代においてよりも、かつてないほどの深刻な影響を及ぼすことは想像に難くない。むしろ現代の国際化の進展が、国際交流の減少により重大な意味を与えており、このコロナ禍の中で国際交流が減少したことは、中世の鎖国と同等か、それ以上の意味があったと考えられるのではないだろうか。

　大学で国際関係論を教えていると、「コロナで海外に行けないのに、なぜ国際関係をやらなければならないのか？」という質問を受ける。それに対するシンプルな答えは「永遠に鎖国はできない」というものである。つまり鎖国があれば、いずれは開国もある。この「第二次鎖国」期を生かして、今後の日本を

含めた東アジア全体の、来たる「第二次開国」期における国際関係を構想することが重要であるといえるのではないだろうか。そうした新たな国際関係をじっくりと考える契機を現今のコロナ禍は与えているのかもしれない。

コロナと信頼醸成

　さて、世界、そして東アジアは新型コロナウイルスという危機を共有していると述べた。コロナ禍は、一国だけで乗り越えられるものではない。東アジアにおける一国だけが「鎖国」によって封じ込めに成功したとしても、国際化の深化した世界の中で「開国」するとするならば、封じ込めに成功していない他の国家から再びコロナは輸入されてしまうこととなる。ここに、コロナという危機を契機として、「点」としての一国を中心とした思考を乗り越える時代の要請がある。つまり、一つの「点」である国家の違いを乗り越えて、「面」としての地域を中心として考えるパラダイムの転換が必要になってくるのである。こうしたコロナ危機を契機として、東アジアを起点として国際関係の信頼醸成を進めていくことが現在、要求されている。そしてこの危機の共有から「共通アイデンティティ」の構築を目指すことが、東アジアにおいては求められているといっても過言ではない。

　将来の国際関係はこれまでの延長に存在する。そこで、東アジアを考える比較対象として、国際化のリーディングケースとしての欧州を視野に、これまでの国際関係の深化と現在の展開を検討することから始めよう。

II　冷戦からグローバル化に向かう世界——国際統合と分断

「統合の時代」：2000年代まで

　第二次世界大戦が終わり、世界は冷戦の時代を迎えた。冷戦以降の世界の基本的な潮流は、国益を担保するための地域ブロックの形成であったといってもよいだろう。アメリカを中心とした西側陣営、ソ連を中心とした東側陣営は、イデオロギーに基づく地域ブロックの形成を表していたと見てもよいかもしれない。

　この冷戦はマルタ会談の1989年、そして1991年のソ連の崩壊によって終焉を迎えた。ここに、戦後を長く規定してきた冷戦構造は崩壊したのであった。これにより、1990年代に世界は二極の「冷戦」から一極の「新世界秩序」へとその構造を変化させることとなった。これまで東西に分かれていた世界は一つになり、地球（globe）単位でのグローバリズム論の勃興をみることとなった。中国語の「環球」という表現はこの状況をよく表現している。

　さて、こうして東西に分かれた冷戦下においても、現在につながる「国際化の時代」を象徴するような地域ブロック形成の動きが各地で起こった。その中でも具体的な国際統合を視野にした、最も代表的なものは欧州連合（European Union、EU）につながる欧州統合の試みである。この欧州統合は、第二次世界大戦の反省から、「共通アイデンティティ」としての「欧州アイデンティティ」を目指して、そこにおける国家間の信頼醸成を初めから意識したものであった。これは共通の教育プログ

ラム（エラスムスなど）の実践に明らかである。こうした欧州における国際統合は、欧州経済共同体（EEC）などの機関を、欧州共同体（EC）へと展開させ、冷戦後、さらにその欧州共同体を欧州連合へと発展させることで着実に進んできたといえる。

さらに冷戦が終焉すると、「鉄のカーテン」の向こうに存在していた旧東欧諸国が欧州統合に参加することで、一時は28か国を数えるまでに拡大したのであった。

「分断の時代」：2010年代の世界を超えて

冷戦後、世界は超大国としてのアメリカ一極を中心とした「新世界秩序」の時代を迎えた。しかし、アメリカだけが超大国という一極構造の「新世界秩序（New World Order）」は、それに対する反発を誘発した。そして、2001年の米国同時多発テロに端を発し、ジョージ・W・ブッシュ大統領が「テロとの戦争」を宣言するという、新たな局面を迎えるに至ったのであった。この「テロとの戦争」という状況が、その後に続くアフガン侵攻や、イラク戦争、後の「イスラム国」の出現という展開を導くものとなった。さらに、「イスラム国」の台頭と移民・難民問題は、後に「ヒト・モノ・カネ」の自由な移動を基本原則とする共通アイデンティティを目指す欧州統合に、大きく影響を与えていくのである。

21世紀を迎えて、2009年にギリシャの債務超過に端を発するユーロ危機が勃発すると、欧州の地域ブロックの形成に変化が起こることとなった。「共通アイデンティティ」を志向する地域ブロックとしての「国際統合の論理」に対して、「国家ア

イデンティティ」を志向する一国中心主義の国民国家の論理を訴える傾向が次第に支持を増すようになっていったのであった。これらの政策を標榜する政党は、ニューライト（New Right）政党と呼ばれる。こうしたニューライト政党の台頭が、2010年代の一つのトレンドとなったのであった[1]。

　さて、強固な地域ブロックを形成し、国際化のリーディングケースであった欧州の変化は、全世界の変化の趨勢に影響を与えていたものかもしれない。2010年代には、いわゆる「イスラム国（IS）」の台頭もあり、その余波を受けたシリア難民の受け入れなどを巡り、そうした傾向はさらに強まることとなった。2010年代は欧州だけではなく、世界は「分断の時代」を迎えたといってよいだろう。それを象徴したのが、移民に反対を表明し、地域ブロック形成に懐疑的であったり、異を唱えたりする「一国中心主義」のニューライト政党の台頭であった。そうした趨勢を受けたのが、イギリスの欧州統合からの「ブレグジット」とアメリカの「アメリカ・ファースト（米国第一主義）」を掲げるドナルド・トランプ（Donald Trump）大統領の出現であった。

2010年代の「分断の時代」における国家の変容：ニューライト政党

　「ホイレ・ヴィンド（*høyre vind*）」という北欧語の表現が、こ

1　Hiroshi Shiratori, "Cost of Democracy: Changing Aspects of Modern Democracy," Hideko Magara ed., *Policy Change under New Democratic Capitalism* (Routledge Research in Comparative Politics), Routledge: London and New York, UK, 2016, pp. 47-69.

の 2010 年代の世界を表現している。「右の風（right wind）」という意味であり、「一国中心主義」をとる政党の台頭による保守化を表している。ここで注目するべきは、比較的に移民に寛容な、人道的な政策を採ってきた政策レジームである社会民主主義レジームと考えられる北欧諸国においてすら、ニューライト政党が台頭し、政権にすら参画するようになったことである。ノルウェーのシーブ・イェンセン（Siv Jensen）率いる進歩党（Fremskrittspartiet）は、2013 年から 2020 年まで政権与党であったし、スウェーデンの若きリーダーであるペー・ジミー・オーケソン（Per Jimmie Åkesson）率いるスウェーデン民主党（Sverigedemokraterna）は、2010 年代を通じて議席を伸ばした。

　また、保守主義レジームに区分されるドイツにおいても、フォトジェニックな女性リーダーのフラウケ・ペトリ（Frauke Petry）の下で、ドイツのための選択肢（Alternative für Deutschland, AfD）は議席を伸ばし、ドイツの隣国であるオーストリアにおいては、イエルク・ハイダー（Jörg Haider）後、ハインツ＝クリスチャン・シュトラッヘ（Heinz-Christian Strache）が党首となったオーストリア自由党（Freiheitliche Partei Österreichs）が 2017 年から 19 年にかけて政権与党の座にあり、同党所属のノルベルト・ホーファー（Norbert Hofer）は大統領候補として決選投票に進むなど、ニューライト政党の躍進ぶりは目を見張るものがあった。

　また、自由主義レジームと考えられるイギリスにおいては、ナイジェル・ファラージュ（Nigel Paul Farage）党首に率いられた「英国独立党（The UK Independence Party, UKIP）」が、2014 年欧州議会選挙において最多の議席を獲得し、ファ

ラージュがその後に結成した「ブレグジット党（The Brexit Party）」は2019年の欧州議会選挙で再び最多の議席を獲得するなどの躍進を見せた。イギリスの隣国のフランスでは、マリーヌ・ル・ペン（Marine Le Pen）が、国民戦線（Front National、2018年に党名を国民連合 Rassemblement National へと変更）を率いて、移民排斥と欧州統合を批判することで、2014年、2019年の欧州議会選挙では共に最多の議席を獲得、2017年フランス大統領選挙の決選投票に臨むこととなった。

「一国中心主義」からの変容：国際協調へ

　これらのニューライト政党の主張は、「共通アイデンティティ」よりも「一国中心主義」であったり、国際的な連帯に懐疑的であったり、それを批判したりする特徴がある。そうしたトレンドは、欧州に限定されるものではない。こういった主張と同様な政策的な傾向を、世界の中で体現する超大国のリーダーが、トランプ前米大統領であることは理解されるだろう。彼は、パリ協定や環太平洋パートナーシップ協定（TPP）からの脱退、北米自由貿易協定（NAFTA）の見直しなど、国際的な協定や地域ブロックといった「一国中心主義」の障害となるものを批判し、一国中心主義の立場を示してきた。

　こうした米国の政策的な立ち位置は、世界に大きな影響を与えるものであった。さらにトランプは、「米国第一主義」という「一国主義」から、21世紀に台頭してきたもう一つの超大国である中国にその批判の矛先を向けることとなった。米国のリーダーは選挙で選抜されるために、4年の任期の後に行われる大統領選を見据えて、国民の人気を集める必要があった。そ

して、そのためには、競合する国家を批判するということは常套手段として行われてきたことであり、1980年代には経済大国として台頭してきた日本を批判したこともあった。国際的な連携よりも自国中心主義を叫ぶことによる支持の獲得を求めるというやり方である。しかし、こうした姿勢は、グローバル化が進む中で整合性を持つのだろうか。

　その帰結は、2020年大統領選挙の結果から明らかである。コロナ禍の中で、やはり「一国中心主義」を超えた国際的な連帯こそが要求され、共通アイデンティティを目指す「地域中心主義」による地域ブロックの形成を志向する政策が選択されたとみることもできるだろう。またEUも深化を続け、一国を超えた共通アイデンティティを持ち続けている。

Ⅲ　東アジアの共通アイデンティの構築へ向けて
——日本から見た国際関係

「昭和」「平成」「令和」：日本政治外交のクロニクル

　視点を日本に移そう。日本は元号という時代区分を表す独自の表記を有する。第二次世界大戦後の現代の日本は、「昭和（1926～1989年）」から「平成（1989～2019年）」を経て、2019年より新たな元号である「令和」へと移ると共に、新しい時代が始まった。元号の変化は、日本の外交政策の変化を検討する上で都合が良い時代区分を提起している。というのも「平成」の開始となった1989年は、マルタ会談やベルリンの壁の崩壊という事件が起こり、それらに象徴されるように冷戦が終わった年といってもよいからだ。敗戦や冷戦期を表す昭和の時代を経て、脱冷戦の時代の到来と共に平成時代は幕を開けた

のである。

　2019年に「平成」という一つの時代が終わった。2017年12月8日の閣議で、2019年4月30日で今上陛下はご退位、翌5月1日に浩宮皇太子殿下がご即位され、令和の時代が始まることが決定された。平成は1989年1月7日に昭和天皇が崩御され、翌1月8日より始まったが、現在の日本外交を語る上で、少しくその背景となる第二次世界大戦後の「昭和」の政治外交を検討する必要がある。第二次世界大戦後の「昭和」、脱冷戦期の「平成」、そしてコロナ禍に見舞われた「令和」へと続く、日本の政治外交の出発点として、1945年から検討を始めるものとしよう。

日本の外交政策の変容：「一国中心主義（点）」としての戦後

　戦後日本外交の特徴として「一国平和主義」であったことが挙げられるであろう。国際社会の中の「点」であるところの一国だけを中心に考える第二次世界大戦直後の日本は、敗戦国として新たな憲法を戴き「一国平和主義」という「一国中心主義」から出発したといえる。

　日本国憲法第9条の「戦争放棄」条項、「平和主義」という日本国憲法の三大原理の一つも、日本の国益にかなっていたということができる。国際政治の常識として、ハンス・J・モーゲンソー（Hans J. Morgenthau）によれば、国民国家は自国の「国益（national interest）」を追求するという大原則がある。それではここにおける日本にとっての国益とは、何であったであろうか。それは、1945年の終戦以降、安全保障にまつわる軍備にかかわる歳費を抑えることにより、経済復興に邁進す

ることであった。憲法第9条2項では、そのための「戦力の不保持」を定義しており、これにより日本は軍備には投資することなく、経済に特化することができた。そしてこれはアメリカを中心としたGHQの占領統治の原則である「日本の武装解除（disarmament）政策」と合致したものでもあった。敗戦国であり、焼け野原となった国土の復興のために財政的に余裕のない日本にとっては、自国のことだけで精一杯という事情もあった。そこで経済発展を優先させ、戦争行為、国際紛争への介入を行わないこととしてきた。つまり日本国憲法第9条に見られる「戦争の放棄」は、アメリカを中心とした占領政策を採る連合国にとっては、日本の武装解除、再軍備の制限といった観点から都合の良いものであったと同時に、日本の側にとっても焼け跡からの復興を急ぐために経済にもてる資源を集中的に投下することができる点でメリットがあった。

同盟関係を中心とした安全保障による国際関係：「二国同盟主義（線）」への転換

　占領下における日本の安全保障は、占領軍が行うこととなっていたが、冷戦構造の出現に伴い、日本の安全保障も見直されることとなった。それが、1951年の日米安全保障条約の締結による「二国同盟主義」への外交政策の転換である。これは二国の間の関係性という点で「線」として理解することができる。ここにおいて、敗戦国として経済発展を優先した、占領下の「一国平和主義」という「一国中心主義（点）」から、冷戦期の日米安全保障条約という「二国同盟主義（線）」への外交政策の根本的な展開を見ることは難しいことではないだろう。し

ばしばいわれる、「日本国憲法の記述」と「現実の安全保障政策」のズレは、この「一国中心主義（点）」と「二国同盟主義（線）」が混在している点にあるのではないだろうか。

いずれにしても、この「二国同盟主義（線）」を中心とする冷戦下の日本の外交政策の基軸は、西側陣営の一員としてアジア・太平洋における強力なアメリカの同盟国としてのものであり、日本は独自に強力な軍隊を保持せずとも、アメリカの持つ「核の傘」の下での平和を享受していくといった地位を獲得するに至ったのであった。しかしその反面、地政学的な日本の位置から、アジアの「冷戦の最前線」としてソ連に対峙するといった責務も担うこととなった。そうした国際的なバランスの中に、日本は存在していたのである。このバランスの中で、日本は他国との交戦を70年以上も回避するという特異な経験を得ることができたのであった。そこで経済に邁進し、池田勇人内閣の「所得倍増政策」などの政策の結果、1960年代にはOECDに加盟、先進国の一つとしてアジア地域を代表する国家に成長することとなった。こうして日本は「一国中心主義」から、「二国同盟主義」を経て「点」から「線」への視点を獲得することによって、アジアにおける経済力に裏打ちされた「民主主義的な平和国家」としての地位を獲得したのであった。日本は第二次世界大戦後に、こうした「昭和」の時代を経験していたのである。

Ⅳ　脱冷戦の時代としての平成

平成の始まり：冷戦の終焉

　さて、平成は、1989 年 1 月 7 日に昭和天皇が崩御され、翌 1 月 8 日より始まった。そして 2019 年 4 月 30 日で終わったわけであるから、総計すると 11069 日となる。「30 年でひと世代」という表現もあるように、この 30 年あまりは特徴的な時期であったと考えることができるかもしれない。これだけの時間の中で、日本の政治はどのように変化していったのだろうか。

　筆者は、「平成」という時代は、日本の政治史の上で非常に特徴的な時代であったと考えるものである。そして、この「平成」という時代の中で、日本政治は大きく変貌を遂げたと考えている。議論を先取りすれば、冷戦下の単独政権基調の「55 年体制」から脱冷戦下の連立政権基調の「93 年体制」へと、平成期に日本政治が質的に変化したことによって、日本政治は新たな時代の到来を告げる、そうした時代であったと平成の 30 年間を捉えることができるのではないだろうか。

　この「平成」が始まった 1989 年はどういった状況にあったのだろうか。この年は、それまでの一つの時代が終わり、一つの時代が始まるにふさわしい時代を象徴していた。すなわち「冷戦の終焉」と「脱冷戦の時代」の到来である。1 月 20 日には現在では「パパ・ブッシュ」の愛称で知られるジョージ・ブッシュ（George Busch）大統領がアメリカ合衆国第 41 代大統領に就任し、11 月 9 日には中国も鄧小平から江沢民へと代替わりが起こった。こうしたリーダーの交代自体、新し

い時代へのムードを全世界的に創出していたということができるのではないだろうか。そして、1980年代の後半に向かって起こったヨーロッパにおける共産圏の動揺は、11月9日にベルリンの壁が崩壊したことなどに象徴されたように、東欧の民主化が本格化したのであった。サミュエル・P・ハンチントン（Samuel P. Huntington）の『第三の波』[2]やフランシス・フクヤマ（Francis Fukuyama）の『歴史の終わり』[3]という著作は、この時代の雰囲気を非常によく象徴している。そして、12月3日にアメリカのブッシュ大統領とソ連のミハエル・ゴルバチョフ（Mikhail Gorbachev）最高会議議長がマルタ島で会談し、冷戦の終結を宣言したのであった。こうした世界の動きの中で、日本はどういった状況にあったのであろうか。

平成元年の日本：国内政治の変容

　この年、日本ではバブル経済の終わりに差し掛かりつつあった。しかし、日本も確実に新しい時代の息吹を感じていたのであった。平成に元号が変化すると、4月1日には消費税法が施行、初めて消費税が導入され、3％の税率が付与されることとなった。これは少子高齢化社会の到来に対応した、社会保障政策の見直しの中で導入されたものであった。この消費税の導入は、その後に税率を上昇させていく発端となった。こうした日本社会の変化と並行して、日本政治においても変動が起きるこ

2　Samuel P. Huntington, *The Third Wave: Democratization in the Late Twentieth Century,* Norman, Oklahoma: University of Oklahoma Press, 1991.

3　Francis Fukuyama, *The End of History and the Last Man,* New York: Free Press, 1992.

ととなった。4月11日にリクルート事件に竹下登首相が関与していたことが取り沙汰され、ロッキード事件以来の首相のスキャンダルとして関心を集めた。最終的に、竹下登首相は6月2日に辞任することとなり、翌6月3日に宇野宗佑が内閣を発足させた。しかし、宇野の個人的な女性問題にまつわる疑惑により支持率は低迷、そうした中で参議院選挙を迎えた。7月23日には第15回参院通常選挙が投開票された。この選挙の結果だけを見れば、野党第一党であった日本社会党が自民党を上回る躍進を遂げたのであった。この参院選においては、社会党は女性の党首である土井たか子委員長が、女性問題にまつわる宇野内閣を追い込むために積極的に女性候補を擁立することで「マドンナ旋風」を起こし、「山が動いた」という名言を残して、社会党の躍進を評価したのであった。これを受けて、宇野内閣は総辞職、8月10日に初の戦後生まれの宰相である海部俊樹が内閣を発足させた。さらに、日本の政治の変動は続き、10月14日には、体調を崩していた田中角栄元首相の政界からの引退が報じられた。平成という新時代に戦後生まれの初の宰相の登場、そして昭和時代の大物政治家の政界からの引退は、日本においても新しい時代の到来を告げたことを有権者に実感させるには十分であり、大きな政治の変化を予感させるものであった。

　ここで、日本の戦後政治の見取り図を国際政治と関連させて描いてみよう。

V　平成期の政治変動
——細川内閣の成立と連立政権の時代の到来

「55年体制」から「93年体制」へ

　こうして幕を開けた平成期であるが、平成期の政治は日本政治の在り方を大きく変化させたといえよう。そもそも日本政治の戦後昭和期を代表する特徴は、「55年体制」と呼ばれる政治構造であったということができよう[4]。この55年体制に象徴される政治構造とは、保守勢力である自民党と、革新勢力である日本社会党と日本共産党との対峙を中心とした政治過程と見ることができる。自民党は自由主義、資本主義を標榜していたのに対して、日本社会党や日本共産党は、社会主義や共産主義を標榜していた。これはイデオロギー的に国際社会における東西冷戦、すなわち自由主義、資本主義を標榜するアメリカを中心とした西側と、社会主義、共産主義を標榜するソ連を中心とした東側の対立を国内政治に反映させたものであったとみることもできよう。

　国際社会の冷戦構造の反映が55年体制であったとするならば、平成期の国際社会において冷戦構造が終焉したことは、日本政治にも当然、大きな影響を与えるものであったと考えられる。そして実際、日本政治のそれまでの在り方である55年体制を、根底から覆してしまうこととなった。

　その契機となったのが1993年の細川護熙を首班とする内閣の成立である。これにより自民党は結党以来、初めて野党に転

4　升味準之輔「1955年の政治体制」、『思想』岩波書店、1964年4月号。

落することとなった。また、この細川内閣以降、日本政治は連立内閣の時代を迎えることとなる。筆者は、これ以降の時代を「93年体制」の時代として定義した[5]。というのもこの平成期に始まる93年体制はそれまでの日本政治とは本質的に異なる位相を持っているからである。

表 3-1　55 年体制と 93 年体制

	55 年体制（1955 Setup）	93 年体制（1993 Setup）
時代	昭和（戦後）	平成
国際政治	冷戦	脱冷戦
政権枠組み	単独政権	連立政権
選挙制度（衆院）	中選挙区	小選挙区比例代表並立制
政党システム	一党優位政党システム	穏健な多党システム

93 年体制：脱冷戦期の連立政権

　細川は、首相になるまでに参議院議員、そして熊本の県知事などの経験を持つ。そうした細川が、日本新党を1992年5月22日に結党し、代表に就任すると、折からの政治改革の機運に乗って一大ブームを日本政界にもたらすこととなった。自民党内から6月18日に提出された宮沢喜一内閣不信任決議をきっかけとして、元滋賀県知事の衆議院議員の武村正義らを中心に新党さきがけが6月21日に結党、6月23日には竹下派における主導権争いで、官房長官として平成の元号を発表した当人であった小渕恵三と敵対した、小沢一郎を中心とするグループが新生党を旗揚げするなどして、自民党は大規模な分裂を経

5　白鳥浩『都市対地方の政治学』芦書房、2004年。さらに増補、改題して『都市対地方の日本政治』芦書房、2009年。

験することとなった。

　自民党からの分裂は、昭和のロッキード事件を契機として
も起こったことがある。政界浄化を唱えて、河野洋平らが自
民党を離党し1976年に新自由クラブを結成したのだ。しかし、
この1993年の自民党からの大量の離党、そして新党の結成
は、新自由クラブの事例とは本質的に異なるものであった。自
民党の本流の一つである、田中派の命脈を継ぎ、幹事長すら最
年少で経験した実力者の小沢を中心とした大量の離党者による
新党は、量的な人数における規模においても、質的な自民党へ
のこれまでの貢献度からしても、新自由クラブの事例とは異な
るインパクトを自民党に与えたのであった。この分裂劇によっ
て、自民党は55年体制下でそれまで享受してきた、ジョヴァ
ンニ・サルトーリ（Giovanni Sartori）のいう一党優位政党シ
ステムを維持することは不可能となった[6]。これ以降、平成期
においては、どの政党も安定した単独政権を構築することはでき
ない、連立政権の時代に入ったのであった。

日米同盟関係下の国内政治の変化

　こうして見るならば、升味準之輔の述べた、保革の対立によ
る国内の「55年体制」は、国際関係からは冷戦構造の反映で
あったといえる。それと同様に、ここで筆者が述べてきた、冷
戦の終焉と共に新たな日本政治の構造として形成された連立政
権の時代を、「93年体制」の成立と捉えることができよう。こ

6　Giovanni Sartori, *Parties and Party Systems*, Cambridge: Cambridge
University Press, 1976.

こにおいては、単独政権から連立政権の時代への日本の国内政治の構造的な変化は、冷戦から脱冷戦へと国際環境が変化するのに伴って起こっていたと考えられる。その結果として、1993年に自民党が下野し、細川護熙を首班とする非自民連立政権が成立すると共に、2009年には、国民が初めて自民党以外の政権を選択することで、非自民の民主連立政権への政権交代がなされることとなったのであった。

Ⅵ　政権交代による同盟関係の変化

日米同盟の変化と国際関係の動揺

　民主連立政権期の日本の外交政策は、どうであっただろうか。その変容（2009 ～ 2010 年）を検討しよう。政権交代によって政権の座に就くこととなった鳩山由紀夫は、従来の日米同盟から逸脱した外交を標榜することを発表した。この鳩山の外交政策は「友愛外交」と呼ばれるものであり、「価値観の異なる国とどう共存共栄」していくかという課題を提起していた。鳩山は「等距離外交」を掲げ、アメリカとの対等な関係の構築を目指した。鳩山は「日本外交の基盤として緊密で対等な日米同盟関係」と述べたが、在日米軍基地についても見直しの方針を示した。これは当時のバラク・オバマ大統領に、アメリカ離れの懸念を抱かせる結果となった。また、民主連立政権は、小沢一郎民主党幹事長が訪中団を率いて胡錦濤総書記と会談するなど、中国への接近も試みた。

日米同盟関係の動揺と国際・国内課題

　こうした民主連立政権下において、日米同盟の弱体化が起こり、「二国同盟主義」は多少なりとも揺らぐ結果となった。こうした同盟関係の揺らぎによって、抑止力の低下による国際課題の出現が起こることとなった。日本は島国であり、近隣諸国からその帰属を主張されている領土がある。それらに対する抑止力の低下が、ロシアのメドベージェフ大統領による2010年11月1日の北方領土の国後島訪問、そして韓国の李明博大統領による2012年8月10日の竹島上陸などといった事例を生起させた。

　結局、民主連立内閣は2010年参院選の結果、参院で過半数を獲得することができず、自主的な政策遂行に必要な衆参両院での過半数の議席を維持することができない、ねじれ国会を出現させることとなり、民主連立政権の機能不全を露呈することとなった。この民主連立政権に、さらに追い打ちをかけたのが2011年の東日本大震災であった。民主連立政権は、復興対策について、ねじれ国会の影響もあり、十分迅速に対応することができなかった。こうして民主連立内閣は、外交的な課題や、東日本大震災の対応などの国民の負託に応えることができずに、その政権の座を2012年に自公政権に奪還されることとなった。これ以降、2010年代に民主党が政権を担当することはなく、その党勢は衰退していった。そして民主党は、民進党へと展開し、最終的に2017年衆院選でその民進党も分裂する展開を見せたのであった。

政権奪還と日米同盟関係の再構築

　2012 年に衆院の解散総選挙が行われ、自公が政権に復帰することとなった。そこで政権担当者となった安倍晋三は、第一に自らの政権による日米同盟の再構築と、第二に日本の「戦後」時代の終焉を意図した。安倍の第二次政権は 2012 年 12 月 26 日に成立したが、ここで安倍は、日米同盟を基軸とした国際関係の再構築を試みた。安倍は後に日米同盟を「希望の同盟 Alliance of Hope」と呼んだが、この「二国同盟主義」への回帰によって、安倍は日米の「線」による日本の安全保障体制の再確認を行ったと考えることができる。

　安倍が意図したのは、こうした「二国同盟主義」の再構築だけではない。「昭和」という時代が残した、「戦後」状況を終わりにすることを意図していたのであった。そこで、オバマ米大統領の訪日において、2016 年 5 月 27 日に被爆地広島への訪問を演出したのであった。広島、ないし被爆地をアメリカ大統領が訪問するのは現職で初であった。そして安倍は、オバマの任期終了間際の 2016 年 12 月 27 日に、第二次世界大戦における太平洋戦争の始まった土地である真珠湾に、返礼として訪問したのであった。また、韓国の朴槿恵政権との間で慰安婦問題の解決をはかり、「最終的・不可逆的解決」として日韓慰安婦合意を 2015 年 12 月 28 日に締結し、「戦後」の時代の幕引きを目指した。ある意味で、安倍は「平成」のうちに、「昭和」の残滓である「戦後」状態を解消することを意図したといえる。

Ⅶ　令和時代の変容

安倍政権から菅政権へ

　2019年に「令和」へと時代は変わり、2020年には新型コロナウイルスの蔓延が起こった。コロナ禍の最中であった2020年8月、安倍は退陣の意向を表明し、その後任として菅義偉内閣といった新政権の誕生をみることとなった。以下においては、新しく誕生した菅政権とその課題を検討してみよう。安倍政権の政策を引き継ぐ菅政権にあっては、安倍政権から菅政権へと引き継がれていく課題も考えたい。

　安倍は「地球儀を俯瞰する外交」を標榜していたが、そこから菅政権が託された課題は何であったのであろうか。筆者は東アジアの国際関係の変化に応じて、「点（一国の国家）」と「線（二国の同盟関係）」から「面（地域）」へというパラダイムのシフトが求められていると考えられている。すなわち点（国家）と線（同盟関係）で考える国際関係から、面（地域）として考える地域に根差した「共通アイデンティティ」を志向する国際関係への思考の変化である。実は、こうした変容は、安倍政権下の国際関係、日本の外交政策の中で徐々に始まっていたと考えられる。この地域重視の外交政策へという日本外交の変容はTPP（環太平洋パートナーシップ協定 Trans-Pacific Partnership Agreement）への日本の参加に見られる。自民党の有力な支持団体の一つに農協がある。安倍は農協の反対があるにもかかわらず、TPPへの参加を決定した。さらに、2017年1月、トランプ大統領就任によりアメリカの

TPP 離脱が決定的となり、TPP から TPP11（Comprehensive and Progressive Agreement for Trans-Pacific Partnership）へとその局面が変化しても、自由貿易協定を日本が主導するという意図をもって、その政策を維持したのであった。自民党の選挙において農協票がなくなることを想定するか、あるいは「二国間同盟主義」だけを採るならば、同盟国であるアメリカに追随し、脱退することも可能であったはずである。にもかかわらず日本が TPP11 を主導していること、そこには新たな外交の在り方が示されていると考えることもできる。それは「面（地域）」の外交への志向としてあらわれている。ここで東アジアにおける国際関係と日本の政権、政党システムと外交政策を図式的にまとめてみよう。

地域ブロックの形成による国際統合の外交の時代へ

表 3-2　日本政治外交の変容

	元号	体制	時代	外交政策	メタファー
1945 - 1955	昭和	戦後復興	戦後	一国中心主義	点
1955 - 1993	昭和から平成	55 年体制	冷戦	二国同盟主義	線
1993 - 2019	平成	93 年体制	脱冷戦	二国同盟主義から地域中心主義	線から面
2019 -	令和	93 年体制	脱冷戦	地域中心主義	面

　こうした「面（地域）」の外交への志向は、日本外交の質的な変化といっても過言ではない。TPP への参加自体、日本にとっては初の国際ブロックへの加盟であったといえる。こうした「面（地域）」志向の外交は、近年の日本だけではない。すでに述べたように古くはヨーロッパの統合の「欧州連合」の動

き、そして近年の東アジアにおいては大陸の「一帯一路」構想においてもみられる。これらの地域ブロックは、それぞれ「相互補完的な」異なる地域経済ブロックの形成を目指していると解釈できる。そうした「面（地域）」を志向する政策を近年の日本外交は目指し始めているのである。それは安倍政権が、二国間におけるFTA（Free Trade Agreement）ではなく地域ブロック（面）を志向していたことにあらわれている。

　継続する外交政策として、こうした安倍政権の政策課題、それを引き継いで真摯に対応するというミッションが菅政権には課されている。つまり、菅内閣の布陣には、「面（地域）」としての国際関係を意識したものとなることが要請されているのである。

Ⅷ　国際ブロック化に向かう世界

二つの地域ブロック：TPP11と一帯一路
　地政学的に、それぞれのグローバルな位置から、各国、各地域が見ている世界地図は同じではない。しかしながら、近接した国家、地域は大差のない世界地図を見ている。そうした意味において東アジア地域は同じ、ないしは近似した世界地図を見ている地域であるといえる。

　地政学的に同じ地図を見ている地域である東アジアにおいて、日本と中国はそれぞれ相互補完的な「面（地域）」志向の地域ブロックの形成を行ってきた。中国の主導する「一帯一路構想（One Belt One Road Initiative）」と日本の加盟したTPP11（CPTPP）である。この二つの「面（地域）」志向の地域ブロッ

クはどう展開してきたのであろうか。

　まず、中国の一帯一路構想（One Belt, One Road Initiative, OBOR, The Silk Road Economic Belt and the 21st-century Maritime Silk Road）であるが、これは2014年11月10日アジア太平洋経済協力首脳会議において提唱された。そして日本のTPP11であるが、これは2018年12月30日に、メキシコ、日本、シンガポール、ニュージーランド、カナダ及びオーストラリアが発効することによって形成された。これらは、中国と日本という背中合わせの隣国から見ると、その目指すべき目標が、一帯一路は西へ、TPP11は東へと展開することを目指しているという点で、利害は対立するものとは考えられず、むしろ日本と中国がそれぞれの地域ブロックのゲートウェイを形成するという点で、相互補完的であるといえる。

日本：「TPP11」と「一帯一路」をつなぐ使命

　こうして、「面（地域）」を中心として地図を眺めてみると、日本が「面」としての東アジアの中に存在することがわかる。その日本の課題とは何であろうか。それは日本の「地政学的な位置」によって示されている。つまり、日本は「TPP11」と「一帯一路」の結節点に位置しており、それをつないでいく使命があるのではないだろうか。以下に日本の課題をいくつか考察していこう。

日本の課題①「東アジアの信頼醸成」

　現在の我々は、新型コロナウイルスによって引き起こされた「第二次鎖国」時代の中にいるということは述べたが、そうし

た鎖国の間に、国際関係の意義や、他国との交流の重要さを再確認し、特に東アジアとの信頼醸成を積極的に促進する必要があるといえるのではないだろうか。そうした「面（地域）」を中心としての信頼醸成が第一に求められているであろう。

日本の課題② 「新たな大国間の信頼醸成」

　さらに、地政学的に見れば「新冷戦」とすら言われる、米中という超大国の間の構造的な位置に日本があることがわかる。そうした地政学的な位置を理解していくならば、「政治的な同盟国としての米国」と「経済的な最大のパートナーとしての中国」との間に日本がある意義もおのずと明らかとなってこよう。つまりそれらをつなぐ「新たな交流」の「線」としての架け橋、および両大国の外交政策におけるジュニアパートナーとしての役目を担っていることが明瞭である。

地政学的に見た東アジア

　日本は、そうした新たな「交流（線）」を東アジアという「地域（面）」を超えてどのように構築していくのかという課題を抱えている。東アジアの中で、日本は中国と共に、それぞれ「TPP11」と「一帯一路」のゲートウェイとしての地政学的な意味を持ち、そしてそれらをつなぐ東アジアでの信頼醸成こそが求められているといってよい。これに関して、2020年にさらなる進展を見たRCEPに日本と中国が加盟していることも注目される。このRCEPをキャップとして、そのもとにTPP11と一帯一路が存在する構造は、今後の東アジアの共通アイデンティティを考える上で興味深い。

コロナと信頼醸成

　現在、世界は新型コロナウイルスという危機を共有している。こうしたコロナ危機を契機として、東アジアを起点として国際関係の信頼醸成を進めていき、そしてこの危機の共有から「共通アイデンティティ」の構築を目指すことが、東アジアの諸国には要請されているのではないだろうか。こうしたものの構築を進める一つの機会を、新型コロナの脅威が提起しているといえよう。

IX　危機の時代の東アジア

外交政策の変容と共通アイデンティティの構築

　戦後冷戦期であった昭和の時代から、脱冷戦の時代の到来に至るまでの国際関係の構造的な変容を検討してきた。同時期、日本国内においても日本政治の構造が55年体制から93年体制へと変化してきたことを示唆した。そうした時代の変化の端緒が、1989年から始まる「平成」期の幕開けであった。そして令和時代もそれは引き続いて展開していると考えられる。

　このように戦後史を概観すると、日本の政治外交も、「一国中心（平和）主義（戦後）」の「点」から、「二国同盟主義（冷戦期）」の「線」を経て、脱冷戦期の「地域ブロック志向」、「地域中心主義」の「面」へと変容を遂げたことがわかる。また、第二次世界大戦の和解を乗り越え次の時代への一歩を試みるという重要な時代が「平成」であったと位置付けることができる。これも、「令和」時代に継続していくはずである。

　そして、「面」で考える地域ブロックの時代における、日中

を中心とした東アジアの地政学上の位置と将来への提言として、日本も中国も TPP11 と一帯一路という、この二つの地域ブロックの出口として両者の影響を強く受ける重要な位置を占めている。逆に言えば、地政学の構造上、両者からの恩恵を受ける位置に存在していることが示唆された。こうした「面（地域）」を志向する国際関係論こそ、自由貿易、発展志向型国家のこれからの外交政策として必要であろう。もしも、RCEP がより強固な地域ブロックとなるならば、TPP11 と一帯一路をつなげる国際統合として、つまり新たな地域ブロックとして重要になるのではないだろうか。

　そうした外交政策の展開のためには思考様式の変化への地政学的要請を認識する必要がある。すなわち地域としての東アジアの信頼醸成、そしてそれに資する共通アイデンティティの形成を視野に入れるべきではないだろうか。そこでは世界大戦を二度も起こしたヨーロッパにおいて行われた信頼醸成が、一つのモデルになるのかもしれない。欧州の統合を「面（地域）」として考えた EU、そうした思考の変化が繁栄をもたらしたと考えられるからだ。現在、欧州では「一国中心主義」の反動を受けているが、離脱したイギリスですら統合新欧州という国際レジームからは、構造的に離れることはできない。そこにおいては欧州国家という共通アイデンティティを自明のものとして、受け入れているといえるのではないだろうか。イギリスは欧州国家であり続け、統合新欧州の中に存在し続けるのである。

　こうして欧州において展開されたように、東アジアにおいても「一国中心主義（点）」を乗り越えて「面（地域）」として考える、そうした思考の変化が要請されているのである。

地域における信頼醸成の拡大を、「面（地域）」としての東ア
ジアの中で実践していくこと。それを拡大し、TPPと一帯一
路をつなげていく、その為の共通アイデンティティの構築が要
請されていること、そしてその要請に対して、その構築のため
に共通する危機の認識が資する可能性を示唆してきた。つまり
コロナ禍という共通の危機を契機として、信頼醸成、共通アイ
デンティティの構築を図ることもできるのではないだろうか。
RCEPといった、それらを包含した地域ブロックの今後にも期
待したい。

　現在、日本は「第二次鎖国」から「第二次開国」への瀬戸際
にある。現在はその開国のための準備期間であると考えられ、
今後は信頼を草の根から作る必要を指摘して、本論文を閉じる
こととしたい。

＊本論文は講演を中心として最低限の脚注を加えたものである。

第四章　安心立命のパノプティコン？
——ポストコロナ社会のゆくえ

菱田雅晴（法政大学名誉教授）

はじめに

　世界を席捲する今次パンデミックの終熄を見通すことは難しい。なんとなれば、有効かつ安全なワクチンが開発・生産され、大多数の人々に供給・接種が行われ、その結果として6〜7割の人々が免疫抗体を獲得する状況が得られて、初めてコロナ禍の終熄を語ることがようやく可能となるとしても、果たして短時日裡にそのような事態がもたらされ得るであろうか。ましてや、変異株のほか、今回の新型コロナ（= COVID-19）を超える新たなウイルスによる新たなパンデミックの登場すら懸念されるとすれば、ポストコロナ、とりわけコロナ後の社会を語ることなぞ神をも惧れぬ所業となるやも知れない。

　とはいえ、14世紀の黒死病が農奴制／荘園制度等ヨーロッパの政治社会構造に多岐にわたる影響を与え、19世紀初頭のいわゆるスペイン風邪が第一次世界大戦の終結を早からしめたとされるまでに世界的なパンデミックが人類社会史に大きな足跡を残していることを想起すれば、今回の新型コロナのインパクトが小さかろうはずもない。果たして今次コロナ禍を経た後、「バック to ノーマル」、すなわち、コロナ以前のあの平穏であった日常（！）を取り戻すことができるのであろうか、それとも

まったく別な「新常態＝ニューノーマル」という新たな試練に直面することになるのだろうか。

　本稿では、そうした不安を視座に据え、現段階コロナ禍の蔓延によって生じている事態を「コロナ情況」と捉え、簡便にそれを概観した上で、その意味するところを「コロナ現象」として捉え返し、その究極の"達成"事例として中国を題材として取り上げることから、ポストコロナ社会の一つの方向を展望することを試みる。結論先取的に示すとすれば、中国における先行事例に基づくならば、かつての"ふれあい"、"つながり"を超えたテクノロジー／イノベーション優位の「超監視社会」が忍び寄りつつあるのではないかという漠とした危機感を示すこととしたい。

Ⅰ　コロナ情況──コロナ禍がもたらすもの

　今回の新型コロナの猖獗を最も顕著に象徴するものとしてマスク姿を挙げることに大方の異論はないであろう。素材、デザインこそいろいろとしても、世界のほとんどの街角に、多くの人々がマスクを着けた風景が広がった。かつての日常風景は一変した。コロナ以前には風邪の患者用と相場が決まっていたマスクが、今や外出時の必須アイテムとなった。マスクとは、感染者からウイルスをうつされない、そして人にウイルスをうつさないためのシンプルな布具に過ぎないが、その最重要の意味は人との接触を断つところにある。その先にはロックダウン、都市封鎖という強制力を背景にした物理的断絶手段が存在している。つまり、これらはマスクという壁を作る、あるいは

目に見えない〈しきり〉を設けることにより、これまで豊かな人間関係を形作ってきた人と人との濃厚な接触、つながりが断たれることになる。この〈しきり〉を最も象徴する表現が三密の回避、すなわち、①密閉空間（換気の悪い密閉空間 closed spaces）、②密集場所（多くの人が密集 crowded places）、③密接場面（互いに手を伸ばしたら届く距離での会話や発声 close-contact setting）の回避である。

　いくつかの分野を断面図として、様々な調査結果データに依拠して瞥見してみよう。

リモート教育

　かつて、"口角泡を飛ばす"議論を通じ、"師の謦咳に接する"ことこそが学を究める道という理想像があったが、今やこれらの謂はほぼ死語となった。というのも、直接対面型の教室授業はその姿を消しつつあり、替わってリモート授業、オンライン、オンデマンド講義あるいは対面授業との混合ハイブリッド授業等が教育場面に広がっている。文部科学省が2020年（以下、「昨年」）9月に行った全国の大学、高等専門学校への調査結果では、今学年後期からの授業形態として「対面と遠隔の併用」ハイブリッド型との回答が8割に達しているのに対し、「全面的対面授業」は2割にとどまる。一方、小中学校では、臨時休校措置が採られた昨年4月段階の家庭学習のパターンとして「教育委員会が独自に作成した授業動画」、すなわち、オンデマンド学習は24%、「それら以外のデジタル教科書、デジタル教材利用」は10%にとどまっている（文科省調査）。

　確かに、オンライン、ハイフレックス、オンデマンド授業に

はメリットも少なくない。時間的、物理的制約を超え、特にオンデマンド講義は繰り返し学習機会を確保することができる。だが、その実施には多くの困難も存在している。オンライン、オンデマンド授業を実施するに足る ICT（情報通信技術）環境が、送り手、受け手双方に整備されていなければならないが、その条件実現は必ずしも容易ではない。学校当局にそうした十分な予算と専門スキルを持つ人材スタッフが揃っているか、受講側には、十分な通信容量を備えた Wi-Fi 環境を安定的に準備できるか等々、クリアすべき課題は多い。バーチャル背景を背に虚空に向かってひとり自室からパソコン画面に語り続ける 100 分授業は講義側にとっても虚しい作業であり、受講側とて ZOOM 画面に緊張と集中を維持し続けることは決して容易な作業ではない。うなずく、首を傾げる、あるいは居眠りをする（！）といった受講生の率直な反応を ZOOM 画面のギャラリービューから瞬時に得ることなぞ至難の技である[1]。

　もちろん、これらの条件がすべての学校、学生／生徒に均しく整備されるわけではない。ここから、公立学校と私立学校の間に、そして、受講サイドにも、データ通信利用料、回線利用料など家計負担の多寡につき、ICT 教育実施の格差が生じることとなる。よしんば、これらの分断と格差が超克できたとしても、その先にあるのは、伝統的な教育像の大変貌かもしれない。学生が集ったキャンパスが単なるオンデマンド動画作成、

1　リアルタイムのオンライン授業の実際場面では、通信負荷抑制のためビデオ・オフを受講生に求めるケースがほとんどであり、ギャラリービューの表示も学籍番号および氏名のみという事例が多い。

オンライン授業科目発信の放送スタジオと化し、ある科目を担当する手練れの教師が全国に（あるいは全世界に）ひとり存在しさえすれば十分となる[2]。ましてや、学校とは単に教室で授業を聴くだけの場所ではないことからすれば、交友、社交、人間関係等のあり方にも大きな変化が生まれかねない。

テレワーク

　感染拡大防止対策として導入が推奨されているのがテレワークである。従来からの働き方改革の一環として、テレワークとは「情報通信技術（ICT）を活用した時間や場所を有効に活用できる柔軟な働き方」（厚生省）と定義され、働く場所により、①自宅で働く在宅勤務、②移動中や出先で働くモバイル勤務、③本拠地以外の施設で働くサテライトオフィス勤務の三形態に区分されるが、いずれも〝避密〟、すなわち、人との接触を極力抑えることで感染拡大を防止することがその目的である。

　内閣府が昨年12月に全国1万人を対象に行った調査によれば、テレワーク実施率は21.5％と19年12月調査の10.3％から増加しており、殊に東京23区内では前年比2.4倍の42.8％に達している。厚生労働省「テレワークを巡る現状について」調査（調査期間：2020年5月29日〜6月5日）でも、企業のテレワーク実施率は67.3％に達し、「実施を検討している」も9.7％に上っている。

2　実際のところ、グーグルは、大学に相当するオンラインの教育コース（「データアナリティクス」、「プロダクト・マネジャ」、「UXデザイナー」ほか合計5コースを備えたオンライン教育のプラットフォーム「Coursera」）を開始している（受講料は、月額49ドル）。

一見するとコロナ禍によりテレワークが浸透しつつあるようにも映るが、実は地域別および企業規模別、業種別の格差が大きい。ほぼ同時期を対象としたパーソル総合研究所調査によれば、関東の実施率38.3％を筆頭に、近畿（23.5％）、東海・北陸・甲信越（15.6％）、北海道・東北（14.6％）、中国・四国・九州（12.1％）と続くが、東京圏（東京、神奈川、埼玉、千葉）の41.1％は図抜けている[3]。また企業規模別では、零細企業（10〜100人）で15.5％、中小企業（100〜1000人）でも25.3％にとどまっており、1万人以上の大企業の42.5％とは比較にもならない。テレワーク非実施理由として挙げられている「テレワークで行える業種ではない」、「テレワーク制度が整備されていない」、「テレワークのためのICT環境が整備されていない」等の回答に企業規模による体力差を見出すことができる。また業種形態別では、当然の如く情報通信業分野における従業員のテレワーク実施率が63.9％に達しているものの、全業種平均では25.7％にとどまっている[4]。

　こうした地域分布、企業規模、業種別のまだら状の格差を伴いながらのテレワーク浸透によってもたらされるものの一つが、勤労者のストレスと不安心理である。先のパーソル総研調査でも、「信頼できる仲間がいない」、「無視されている」といった孤立感を訴える回答は1／4に上っており、その不安を訴える声はテレワーク率が高くなればなるほど高まる傾向にある。

3　パーソル総合研究所「第三回・新型コロナウイルス対策によるテレワークへの影響に関する緊急調査」（調査期間：5/29〜6/2）

4　企業ベースのテレワーク実施率でも、情報通信業では76.0％の高率に達しているものの、全体平均は35.2％にとどまる（パーソル総研）。

「ICT 活用による時間・場所の有効活用」のコストとして失われるものへの郷愁と言ってもよい。物理的な時間・場所を共有する直接接触が断たれ、人との間に電磁的な〈しきり〉が立てられることで失われかねない〈つながり〉、〈ふれあい〉を求める当然の心理的機制であろう。

家計への衝撃

言うまでもなく、コロナ禍による景気低迷、企業業績の急速な悪化は家計を直撃することとなる。厚生労働省の毎月勤労統計によれば、現金給与総額は最初の緊急事態宣言が出た 2020 年 4 月以降、前年と比較可能な企業では 5 か月連続で前年同月を下回った。ボーナス支給でも、ANA、スカイマーク、JTB、藤田観光等の航空、旅行、外食、観光業界の大手企業ですら夏に続き冬季ボーナスを支給ゼロとしており、公務員の 0.05 か月分減額のほか、三菱自動車 0.6 か月分、デンソー 0.1 か月分、オリエンタルランド 7 割減、大丸松坂屋百貨店 5 割減とゼロ支給、減額が広がった[5]。

その結果、感染拡大防止として要請される Stay Home の自粛生活から家計支出が減少する一方で、一部の支出項目は増えている。総務省家計調査では、2020 年 4 ～ 6 月期の消費支出は前年同期比 10% 減と東日本大震災の 2011 年以来の大きな落ち込みを示しており、特に、交通費や外食費、教養・娯楽サービス費がそれぞれ 5 ～ 6 割程度減り、靴やスーツなどの購

---

5 「大企業の冬のボーナス　2 年連続過去最高から一転、「支給ゼロ」も続々」、マネーポスト WEB、2020 年 11 月 21 日。https://www.moneypost.jp/726985

入も大幅に落ち込む一方で、既製品のマスク、パソコン、「家呑み」のための酒類などは大きく増えている[6]。感染予防のため、人と対面で会う機会が減り、人々の生活パターンが「外出」から「在宅」へと大きくシフトしたことを示唆している。

　なお、景気低迷による企業の業績悪化は雇用調整につながるのがこれまでの通例であった。今回のコロナ禍にあっても、女性、高齢者の非正規雇用労働力が休業扱いとされ、各世帯へと押し込められ、家庭内失業という形態に隠蔽されている。この点からすれば、失業の実態は、2.9％とされる完全失業率（季節調整値）（2020年11月分、総務省統計局「労働力調査（基本集計）」を上回るものと見るべきであろう。

地方移住：東京脱出？

　さらに、在宅勤務を核とするテレワークの浸透は、従来の都市集中現象の緩和をもたらす可能性も予感される。テレワーク、サテライトオフィスの浸透とは、出社率の低下、オフィスの必要性の低下であり、その結果、都市に居住するという必然性も薄れることとなる。果たして、日本の総人口の10％相当の1400万人が東京に住み、30％にあたる3700万人が東京圏に住むという東京一極集中現象に変化は招来されるのであろうか。

　その萌芽をうかがうことはできる。国土交通省は昨年秋、都内に本社を置く上場企業2024社を対象にコロナ禍のテレワーク、本社移転などに関するアンケート調査を行っているが、「本社事業所の配置見直し検討」項目の結果としては、全面的

6　「日本経済新聞」朝刊、2020年10月10日。

な移転、一部移転、縮小を含む配置見直しを検討しているのは26％（97社）とされ、2019年以前から検討している企業（45社）中では、その76％が全面移転を検討しているという[7]。

では、どこに移転するのか、移転を具体的に検討している企業（71社）を対象にした調査結果では、移転先として東京23区（73％）、埼玉県・千葉県・神奈川県のいずれか（21％）、23区以外の東京都（17％、複数回答）、関東近郊（6％）、大都市圏・その近郊以外の地方圏（4％）と続いており、やはり上場企業にあっては、移転するとしても東京を含む首都圏から離れることは考慮対象外とも映る。

なぜ、首都圏から離れられないのか、「移転検討が困難な理由」から、逆に大都市が持つ本来的魅力が浮き彫りとなる。移転実績のない企業、移転未検討企業も含めた全体調査の結果では、移転が難しい理由として移転先での人材採用（26％）がトップを占め、移転費用（18％）、既存の社外コネクション維持（17％）、業務の生産性の低下（17％）と続く。この点は、「現在の本社が東京に立地する要因」を訊ねて見ると、より明確となる。企業・取引先等の集積（56％）、都市間交通の利便性（45％）、歴史的経緯（42％）、人口の集積・市場規模の大きさ（41％）、優秀な人材獲得の優位性（37％）と都市が伝統的に有する集積機能と利便性が東京脱出を躊躇させている。

この大都市＝東京への執着は、若者世代にも継承されている。

7　コロナ禍の2020年に入ってから検討を始めた企業（52社）では14％だが、うち全面移転は35％、一部移転でも17％という（『東洋経済』2020年12月9日）。

日本財団の「18歳意識調査」によれば、「大都市への人口集中は是正されるか？」との問いに対し、「思わない（＝是正されない）」という回答は34.8％に上り、「思う（＝是正される）」の26.5％を上回っている。より直接な「若者の地方移住は進むか？」との問いに対しては、「思わない」が53.2％と過半数に達している。その理由として挙げられているのが、「都市機能／教育機関や企業が集中しているから」、「都市は便利なので／魅力的なので」という都市の魅力であった[8]。

〈しきり〉による分断

　コロナ禍が顕在化してからの目に見える変化を簡便にコロナ前後（BC ／ AD）の対照として表4-1にまとめておいたが、感染対策としてのマスクとディスタンス（＝距離をおくこと）の本質は"断密"、すなわち、人との濃密なつながりを断つところにある。その結果、生まれるものが「分断」と「格差」である。人と人のつながりがマスクの内側と外側に、あるいは街の内と外に断ち切られると共に、マスクをする「こちら側」の人とマスクをしない「あちら側」の人に分かれることになる。だが、そのしきり線自体が曖昧模糊なものにとどまることから、自分が「あちら側」なのか、「こちら側」なのか、自らの帰属に関する不安恐惶心理も生まれる。さらには、「こちら側」こそ正義なりとして、その正義を「あちら側」にぶつける「自粛警察」と呼ばれるような分断の暴走すら発生する。また、リモート教育分野、テレワーク環境等で瞥見した通りのコロナ対

8　18歳意識調査「第29回─地方創生─」、日本財団、2020年9月29日。

応における格差も一層顕在化した。こうした意味では、コロナ
禍により新たな格差が招来されたというより、むしろコロナ以
前から存在していた様々な格差がこの分断によってさらに深刻
な亀裂として暗い影を落とすこととなったと見るべきであろう。

表 4-1　コロナ禍前後対照

	BC：Before Coronavirus	AD：After Disease
マスク	風邪をひいた時、病人	全員着用を要請
	サングラスとの併用は芸能人御用達	不着用の場合、"自粛警察"が登場
教育	《師の謦咳に接する》	濃厚接触（密集・密閉・密接）回避
授業形態	対面型教室授業	オンライン／オンデマンド、ハイブリッド
距離	心理的距離	"Social Distancing"、社会的距離
学習スタイル	教室内外の予復習	自宅ウェブ学習
サークル活動	活発	停滞、休止
家庭・世帯	団欒	避密の避難地
	出勤	時差出勤、テレワーク
	接待で帰宅が遅いお父さん	家呑み
	時に外食	フードデリバリー
企業・労働	集中／濃密	分散／非接触
ワークスタイル	濃密な対人接触、コミュニケーション	非接触コミュニケーション
通勤	長時間、過密	時差出勤、通勤ゼロ
雇用	非正規雇用の正規化	非正規雇用調整
本社	大都市集中	地方移住

Ⅱ　コロナ現象──〈しくみ〉と〈きまり〉の揺らぎ

　一方、このしきり線を引く行為は、国内的な措置にとどまら
ない。水際対策として海と空の出入り口を封鎖し、ヒト・モノ
の移動を制限するなど、自国の内と外にしきり線を引く措置が

各国によって発動されており、いわばこれは〈しきり〉現象が国際レベルへと拡大することである。この背景には、国外からの感染を防止すべく国境という壁をさらに高くする自国第一主義、あるいは防疫ナショナリズムとでも名付けるべき現象が国際政治に広がっている。この〈しきり〉の国際化から、先に見たような格差と分断が国際社会においても同様にあらわとなり、国際を支えてきた〈しくみ〉と〈きまり〉が揺らぎつつある。

防疫ナショナリズム：名称問題

　今我々にとっての最大脅威としてのウイルス感染症を何と呼ぶべきか、まずはこの呼称問題に防疫ナショナリズムを見出すことができる。

　ウイルス名称問題とはいわばその起源を問うもので、責任問題にも直結するからである。2020年1月7日段階で、WHO（世界保健機関）がこのウイルスに"2019-nCoV"（2019 novel Coronavirus）との名称を与えたが、日本では1月14日以来厚生労働省検疫所が用いていたのは「新しいコロナウイルス」、「武漢肺炎」（"pneumonia in Wuhan"）であり、2月1日以降は厚生労働省の「新型コロナウイルス感染症」が邦字メディアで一般に広く用いられてきている。2月11日、WHOは「SARS-CoV-2と命名されたコロナウイルスによって引き起こされたパンデミック」として"COVID-19"（= COrona-VIrus Disease）を公式名称とするが、その後も米トランプ大統領が手許のスピーチ原稿を"China Virus"と自ら書き換えるなど、「中国ウイルス」を繰り返し言及していた。台湾、香港、韓国等では今なお"武漢肺炎"が多用されている。

実は、WHO は、2015 年段階から「貿易、旅行、観光や動物保護に与える疾患名による不必要なネガティブインパクトを最小限にし、文化的、社会的、国家的、地域的、専門家や民族グループへの攻撃を回避する目的で、新たな疾患の命名に関するベストプラクティス」を策定している[9]。これに従うならば、MERS（中東呼吸器症候群）、スペイン風邪、日本脳炎あるいはクロイツフェルト・ヤコブ病、豚インフルエンザ、鳥インフルエンザ等は地域名、人名等を含むところからすべて不適切な名称であり、当然「中国ウイルス」、「武漢肺炎」もこの例外ではない。

　にもかかわらず、特に米国からは、「こうした事態を引き起こしたのは、武漢コロナウイルスだということを忘れてはいけない」（マイク・ポンペオ国務長官、３月６日）、「中国ウイルス（China Virus）が世界中に拡大しているが、アメリカは国境をコントロールできれば（拡大を抑える）見込みがある」（トランプ大統領、３月10日）等の発言が続き、なぜそう呼ぶのかとの問いに対してトランプ大統領は「中国から来たウイルスだからだ」、「正確に言いたい」とまでの発言を行っている。

　こうしたトランプ大統領発言に典型的にうかがわれるように「中国ウイルス」が多用される背景には、中国に対してウイルス発生の起源を求め、その初期段階の初動の遅れと情報隠蔽を追及しようとする立場が伏在している。

---

9 *World Health Organization best practices for the naming of new human infectious diseases*, https://www.who.int/publications/i/item/WHO-HSE-FOS-15.1

起源、責任問題から賠償請求へ？

2019年12月1日、中国武漢市の華南海鮮批発市場からCOVID-19の初のヒト発症例が報告されているが、そもそもSARS-CoV-2は天然のウイルスなのか、中国科学院武漢病毒研究所がその起源なのか、依然として確定されてはいない。前年11月、未検出の早期症例との接触を介して感染した可能性も囁かれ、中国のSNS（新浪微博）上には、2019年10月に武漢で開催された軍人スポーツ選手競技大会「ミリタリーワールドゲームズ」に参加した米軍関係者が中国に持ち込んだとの書き込みも頻出しており、11月25日付「人民日報」等では「新型コロナ感染症の始まりは武漢ではなかった。輸入された冷凍食品とその包装部分に由来しているのではないか」とのSNS書き込みの引用も行われている。さらには、米国の関与を指摘するものもあり、例えば、米国立衛生研究所（NIH）、あるいは米国防省によるEcoHealth Alliance（EHA）経由の武漢病毒研究所への研究委託等[10]が伝えられるなど、ウイルスの発生源、起源を巡っては様々な観測や陰謀論までもが噴出している。ウイルスの発生源を特定して分離することは、ヒトの集団へのウイルスのさらなる導入を予防するために必要不可欠な措置である。中国は海外の専門家による調査を峻拒してきたが、

10　2014年、オバマ大統領は、米疾病対策センター（CDC）内での炭疽菌関連の重大事故が多発したことに鑑み、米国内でのウイルス研究を禁止する方針を打ち出し、米国立衛生研究所（NIH）のウイルス研究を武漢研究所に外部委託したほか、2017年には米国防省は、感染症研究のNPO、EcoHealth Alliance（EHA）のコウモリ由来の人獣共通感染症に関する研究に対し、650万ドルを補助、うち150万ドルを武漢研究所あてに委託している。

2021 年 1 月、WHO の専門家調査チームがようやく武漢入りし、調査活動を開始したものの、(本稿執筆時点では) 依然として SARS-CoV-2 の人獣共通感染症の発生源は依然未知のままである。

こうした中、英ヘンリー・ジャクソン協会が 4 月 5 日、中国政府に対する賠償請求を掲げた。曰く、中国政府は新型コロナウイルスのヒトからヒトへの感染が明らかになったデータを発覚後、最長 3 週間にわたって開示しなかったことは、国際保健規則 (International Health Regulations, IHRs) 第 6 条の情報通報義務違反であり、また、2020 年 1 月 2 日から 2020 年 1 月 11 日までの間の感染数に関する誤った情報を WHO に提供したこと並びに感染発覚後も同国民の海外渡航を規制しなかったことは、IHRs 第 7 条の「予期されない又は特異な公衆衛生上の事象が発生した場合の情報の共有」への違反行為だとして中国政府を糾弾している。この違反に対し、英国が 3510 億ポンドの賠償請求権を有するほか、米国 1 兆 2000 億ドル、カナダ 590 億ドル、豪州 370 億ドルとされている[11]。

国際協調フレームの揺らぎ

こうした政治的思惑を背景にした各国の防疫ナショナリズムの疾走は、パンデミック対策として本来あるべき国際協調の枠組に影を落とし始めた。すべての人類にとって共通の敵である

---

11 Matthew Henderson, Alan Mendoza, Andrew Foxall, James Rogers, and Sam Armstrong, *Coronavirus Compensation? Assessing China's Potential Culpability and Avenues of Legal Response*, Henry Jackson Society, 5th April 2020.

パンデミックに対する対応にはグローバルな国際協力の仕組み
が求められることは贅言を要さないが、今やグローバルヘルス
の国際協調フレームが揺らぎを見せている。WHOはもとより、
G7、G20あるいは国連自体が無力にとどまり、有効な国際協
調を打ち出せずにいるのも、各国がこの防疫ナショナリズムに
囚われてしまっているがゆえともいえる。

　先述の通り、中国が報告、情報公開義務を怠ったとされ、専
門家派遣受け入れを拒否し続け、各国も渡航制限、入国制限等
水際措置の防疫ナショナリズムに走ったほか、3月25日開催
されたG7外相会合では米国務省が「武漢ウイルス」と表記す
べきと強硬に主張したことから立ち行かなくなった。G20にお
いても、コロナ対策に関する明確な国際協調路線が提起され
ることはなく、国連安保理においても、議長国としての中国
が「公衆衛生は安保理が扱うべき地政学領域の問題に合致しな
い」とまで言明している[12]。

　こうしたグローバルヘルスのインフラの揺らぎを最も顕著に
示すのが、WHOの機能不全である。そもそもWHOとは、推
定5000万人が犠牲となったとされるスペイン風邪の大流行
（1918年）を受けて、明らかとなったグローバルヘルス領域に
おける国際的ガバナンスの不在から、1948年創設された国際
機関である。従来国家レベルの課題とされてきた公衆衛生を国
際社会の共通課題へと引き上げるもので、先に見た国際保健規
則（IHRs）を制定し、各国にパンデミック対応能力の強化を

12　実際のところ、2014年国連安保理決議2177号では、エボラ出血熱を「国
際社会の平和と安全保障にとっての脅威」と規定している。

義務化することで、感染症拡大阻止のための加盟国行動を規定したほか、事務局長に「国際的に懸念される公衆衛生上の緊急事態」を宣言する権限を賦与したのであった。だが、今われわれが目撃しているのは、WHOの組織的脆弱性であり、抜け穴に満ちたIHRsの遵守不足である。

　とりわけ現時点で最も憂慮されるのはワクチンの供給体制である。WHO主導の下、GAVIワクチンアライアンス等と連携し、すでに156か国が署名済みのワクチンの平等な供給のための「COVAXファシリティ」は年内20億回分の確保を目指しているが、これまでの拠出額は14億ドルにとどまり、資金不足から機能していない。その一方で、先進国は資金力に訴え、ファイザー、アストラゼネカ等ワクチン開発製薬企業との間で高値を提示し、個別に調達契約を締結し、すでに米国が11億回分、EU15億回分、日本が2.9億回分のワクチンを確保している。世界人口の14％の富裕国がワクチン候補の53％を買い占めているという事態は、低価格での調達を目指すCOVAXにとっての脅威ともなっている。この結果、中低所得国、途上国向けの供給が後回しとなる懸念が生まれている。こうした先進国のワクチン争奪戦の色彩も強まる中、その間隙を縫って中国、ロシアによる「ワクチン外交」攻勢が強まりつつある。さらに言えば、極低温の輸送、保管というワクチン特性に伴う困難から、余剰ワクチンの再配分の途も局限される。

　防疫ナショナリズムが、いわばワクチン・ナショナリズムへと変貌しつつあり、ワクチンそのものが国際政治のツールとも化している。ワクチンとは、感染抑止の決め手とみられるだけに各国の恣意的な度を越したワクチン・ナショナリズムの蔓延

はパンデミック終熄という目標を阻碍しかねない。ワクチン外交は国際協調と透明性が求められている。

　こうした一国内の〈しきり〉が国際レベルへと拡がる結果として、本来あるべき国際間のグローバルな協調の〈しくみ〉と〈きまり〉にも綻びが目立つ。富める国と貧しい国々、防疫、公衆衛生医療水準の高い国とそうでない国々との間に分断され、その間の格差も拡大している。だが、これとても従来から伏在していた分断と格差がコロナ禍によってよりあらわな図となって顕在化したに過ぎない。

Ⅲ　展望——ポストコロナ社会の危機感

〈しきり〉とディスタンス（＝距離をおくこと）による"断密"から、人とのつながりとふれあいを絶たれ、そこに蓄積されるストレスと孤独なミーイズムへの不安心理に苛まれかねない「コロナ情況」が国際社会へと拡散し、防疫ナショナリズム、ワクチン・ナショナリズムへと変異することで、求められる国際協調の〈しくみ〉と〈きまり〉が揺らぎつつあるのが「コロナ現象」という今日の事態である。

ファクターＸ？

　こうした中、今なお１日の死者数が平均3000人を超え、パンデミック開始以来の累計感染者2624万8218人、死者44万1718人（１月末現在）が報告されている世界最大の感染国、米国を筆頭にインド、ブラジル、ロシア等の感染情況と比較して、コロナ制圧において相対的な好成績を挙げていると目さ

表 4-2　新型コロナウイルス感染情況（2021 年 1 月 25 日時点）

国・地域	感染者	死者	回復者
米国	26,248,218	441,718	11,664,219
インド	10,757,610	154,392	10,434,983
ブラジル	9,204,731	224,504	8,027,042
ロシア	3,868,087	73,619	3,318,173
英国	3,835,783	106,564	344
日本	390,687	5,766	331,124
ミャンマー	140,145	3,131	125,072
中国本土	89,564	4,636	83,314
韓国	78,507	1,425	68,309
香港	10,487	182	9,474
ベトナム	1,819	35	1,457
モンゴル	1,692	2	1,244
台湾	912	8	830

出典：ロイター「新型コロナウイルス感染の現状」より抜粋、
2021 年 1 月 26 日。
https://graphics.reuters.com/CHINA-HEALTH-MAP-
11A/0100B5F73S1/index.html

れる地域が日本をも含む東アジアである。表 4-2 に見る通り、中国、台湾の感染関連データは印象的であるが、とりわけ中国のコロナ制圧事例では、これら感染者数等では測り得ない圧倒的なまでの安心感の存在が注目される。

　世界規模で「あなたの心配事は？」と訊ねた IPSOS 調査[13]を見よう。当然コロナが最大の不安項目となっており、全世界平均では、61％の回答者が「コロナが心配だ」と答えているのは、今日のパンデミック情況を考えればさして驚くには値しない。だが、マレーシア（85％）、英国（77％）、豪州（74％）、

13　調査会社、IPSOS が世界 28 か国において行った調査（調査期間、2019年 4 月〜 2020 年 3 月、1 万 9505 サンプル、16 〜 74 歳）。

日本（72％）と続き、米国も69％と過半数の人々がコロナの恐怖を不安視しているのに対し、中国にあってコロナを怖れているのはわずか24％と、調査対象28か国中最小の率である。中国の人々が不安を感じる事柄として、コロナは、失業（35％）、環境問題（35％）、健康管理（30％）、気候変動（26％）、インフレ（26％）に続く第5位でしかない。しかも、「わが国は良い／悪い方向に向かっている」という別項目では、中国の99％の回答が良い方向と判断しており、この中国の国家への信頼感は他国事例を圧している。全世界平均では54％が「悪い方向」と判断しており、悪い方向66％、良い34％という日本とは格段の相違がある。感染者規模等の数値以上に中国におけるコロナ制圧対策の「成果」を示すデータといってよい。

　では、東アジアにおけるこうした成功裡のコロナ対策の「ファクターX」はどこに存するのか？　コロナ対策の有効ファクターとして、米国との比較から民主主義体制より権威主義体制の方が有効だと政治体制を要因視する議論も当初喧伝されたが、容易にロシアおよび台湾をそれぞれの反証例として挙げ得ることからすれば、これは必ずしも説得的ではない。医療衛生体制、公衆医療情況の相違がコロナ制圧情況における各国対応結果の差異を生み出すのであろうか。

　あえて中国、台湾という「成功例」におけるその象徴的存在としてオードリー・タン（唐鳳）、習近平の二人の人物像を挙げるとすれば、これら両者が示唆するコロナ対策の有効ファクターとは「デジタル＋専制」、すなわち、天才プログラマーにして若きデジタル担当大臣というオードリー・タンに象徴されるICT（情報通信技術）を駆使した感染関連情報の統一蒐集・

管理と権力集中を進める習近平に象徴される強権的な社会統制の組み合わせではないだろうか。換言するならば、デジタル化された権力の監視の〈眼差し〉を個人個人がそれぞれ内面化することで、結果的にコロナ感染防止のための行動変容がもたらされるという構図である[14]。

　中国におけるコロナ制圧情況を「ITの力で制したウイルスの蔓延」と総括する古林将一によれば、中国の感染拡大防止策とは、①自主隔離ではない完全なロックアウト（武漢市、湖北省、外出制限、公共交通封鎖）、②コンタクト・トレースの強化（感染経路の特定、携帯ナンバーとIDの紐づけ、移動情報の蒐集、③ソーシャル・ディスタンシング、④トリアージの徹底という[15]。

　特に、中国の場合には、従来からの国家重点政策としてのICT活用を背景に感染データの収集、分析、応用、可視化、公開活用が徹底しており、そこにはその特異な政治体制としての社会管理手法が補完的に機能している。例えば、中国のCCTV監視カメラは、世界の監視カメラ総設置数7.7億台の54％を占める4億1580万台に達しており、都市別の人口千人当たりの設置台数上位20都市中ではトップの太原、無錫以下、

14　その対極にあるのが、感染拡大防止という大きな公共目的の前にあっても各個人の自由選択を優先させるべきという米トランプ、ブラジルのボルソナロの両大統領のスタイルであろう。

15　古林将一・華鐘コンサルタントグループ副社長による東洋学園大学「ワンアジア講座」第9回（2020年11月27日）講義より。本書第七章。

18都市が中国である[16]。14億というかつての人口大国のくびきを限りなく優位性へと転換させたビッグデータ利用の可能性と顔認証システムに象徴されるAI活用が最大限展開されている。加えて、基層レベルに浸透した党組織、住民"自治"組織による相互監視のシステムがあり、これにより中国のコロナ対策が十全な姿として完成をみることになる。

ハイパー・デジタル・パノプティコン！

　1990年代からICT（情報通信技術）分野を支柱産業とすることから始まった中国のデジタル大国への歩みは、今や電子政府（行政情報のネット公開、ネット上の行政申請あるいは挙報、通報、ホットライン設置等）と市民サイドにおけるネット利用（通信、情報ニュース検索、社交、ネットショッピング、フードデリバリー、旅行予約、ネット決済、オンラインビジネス、リモートワーク、教育、医療……）へと他国の追随を許さぬまでの高まりを見せている。これは、人々がネット社会にあってそこから娯楽、利便性を手にすると同時に、ネット上のプラットフォーマーに対し、自らの位置情報、購入履歴、利用履歴等の詳細個人情報を提供するもので、ここからプラットフォーマー経由で当局がビッグデータを収集し、その分析に基づき、監視・監督を行うことで、ネチズン＝ネット市民がコロナ禍は固より、交通事故、犯罪、治安等にかかわる自らの安全

16　「コンパリテック調査レポート」（https://www.comparitech.com/vpn-privacy/the-worlds-most-surveilled-cities/）。なお、CCTVとはClosed-circuit televisionの略であるが、皮肉にも、同時に中国中央電視台（China Central Television）の略でもある。

を手にするという構図である。いわば、利便性と安全を得る対価として個人情報に蓄えられたプライバシーを支払うというもので、個人情報の最大限の保全に関心を寄せるわれわれが躊躇を覚える場面ではある。

　果たして中国の人々は、プライバシーに無頓着なのであろうか？　答えは否定的である。ネット市民に関するCNNIC中国互連網絡発展状況統計によれば、ネット利用時のセキュリティ問題のトップ項目として中国ネチズンが憂慮するのが個人データの漏洩であり、個人情報漏洩事故を訴える回答は23.3%にも達している[17]。中国にあっては、プライバシー確保に留意しつつも、それ以上に利便性の最大化、安全の確保にこそ、より重きを置いているというのが実相であろう[18]。

　この究極の姿とは、ベンサム、フーコー以来のパノプティコンの上に、世界をリードするデジタル技術を社会実装した究極のデジタル・パノプティコン世界であろう。ベンサムの説くパノプティコンとは「監視されているとの意識」に基づく"一望監視施設"の意であるが、これを発展させたミシェル・フーコーは、人は身体と精神の内部から社会に適合した主体として形成され、権力からのまなざしを意識し、権力を内面化するとして「自発的服従」概念を提起した[19]。天網工程（Project Sky Net）という名のリアルタイムの監視システムは、5G通信速

17　中国互連網絡信息息中心『第46次中国互連網絡発展状況統計』2020年9月

18　梶谷懐・高口康太『幸福な監視国家・中国』NHK出版、2019年に詳しい。

19　ミシェル・フーコー、田村俶訳『監獄の誕生〈新装版〉——監視と処罰』新潮社、2020年。

度のハイスペック（高解像度、高フレームレート）な映像による監視が可能となり、加えてのAIによる顔認証、声紋認証システムは人に「自発的服従」を迫るまさしくハイパー・デジタル・パノプティコン世界と呼ぶのがふさわしい。

　だが、このハイパー監視社会は遠い中国における悪夢のディストピアとして局限されるものであろうか。コロナ禍の終熄を最終目標とするならば、いずれにあっても最有効のファクターXとは上述の「デジタル＋専制」に設定されることとなる。実際のところ、日本でもすでにCOCOA（Contact-Confirming Application）という名の接触確認アプリのダウンロードが強く推奨されており、今後のワクチン接種に際してもマイナンバーカード経由が必須とされつつある。

　果たして、コロナに打ち勝つという人類全体の共通目標のため、われわれは究極の監視社会としてのハイパー・デジタル・パノプティコン世界に向かわざるを得ないのだろうか？　コロナの早期制圧を目指す限り、中国の今日とは、日本の明日なのだろうか？　今回のパンデミックがなんらかの形で終熄した場合、果たしてそれはBack to Old Normalつまり、コロナ以前に戻ることになるのだろうか？　安全とプライバシーを両極とするスペクトラムにおいて、我々の選好がコロナ勝利のため前者に傾いた場合には、このハイパー・デジタル・パノプティコン世界がまったく新しいNew Normalとして登場するのではないだろうか？　コロナ禍の今こそわれわれ自身の選択が問われている。

（2021年2月1日脱稿）

第五章　国境を越えて"持ち歩ける"
　　　　社会保障の実現
　　　　——アジアに共通する社会保障を探って

沈潔（日本女子大学教授）

はじめに

　新型コロナウイルスの感染拡大の中、"外国に住む"人々の生活が脅かされている状況は一層深刻となっている。主に"外国に住む"人々の雇用や生活保護及び公共サービス支援といった社会保障は、コロナ危機の中で支援の対象から排除されたり、利用しにくくなったりという事情が増えつつあるのだ。

　欧州連合では、早い時期から超国家間の福祉アプローチと市民権アプローチを共存させる社会保障的な政策に取り組み、欧州連合の市民であれば、いつでも、どこでも、年金、医療、失業保険という社会保障の待遇を公平的に受けられる、いわゆる"持ち歩ける"社会保障がすでに実現されている。一方のアジア地域には、経済的な統合は急速に進んでいるが、社会的な連携が遅れている状態が続いている。欧州連合に倣い、今回のコロナ危機というピンチを躍進のチャンスに変え、地域全体に通用する社会保障システムを構築していくべきであり、今はそのグッドタイミングになっている。

　本論は、多国間連携の「欧州社会モデル」を鑑み、アジアが考えるべき共通する社会保障について論じる。具体的には、まず、グローバル化が進み、人々が国籍を問わず働く場所や結婚

相手を選べるようになる世の中にとって、年金や失業保険、介護医療といった社会保障について、国境を越えても受給権が継続できる、いわゆる"持ち歩ける"社会保障とは何かを検討する。第二に、歴史的な視点より、第2次世界大戦中に日本の植民地支配に伴って暴力的に押し進められた移民対策や救済活動を振り返って、その中から汲み取るべき教訓があるかどうか、あればそれは何かを明らかにする。第三に、現在のアジア地域における「結婚圏」・「移住圏」・「福祉圏」の拡大傾向を通じて、共通する社会保障システムを構築する必要性と可能性を考察してみたい。

I 「欧州社会モデル」に倣い

「欧州社会モデル」の形成は、フランス、西ドイツなどの政治家、学者らの提唱によって、第2次世界大戦後の苦難を乗り越え、協調の歩みを共にし、地域全体の経済発展及び労働者の生活条件向上をいかにして創設するのかを構想してきたものである。「欧州社会モデル」では、加盟国間による貧困対策や福祉サービスなど個々の政策のすり合わせから始まり、国家間の対抗を乗り越え、政策協調の段階を経て共通政策を形成するに至った。特に2000年代以後は、欧州連合の社会保障の変革を目指し、改革の動きが加速した。そこで目指された共通政策は、共通理念を持つ超国家規模の法的、政策的、社会的ネットワー

クの構築である[1]。

　その背景は、経済の統合や労働力の移動に伴い、雇用や生活支援に関わる社会保障の域内での共通化が不可避的になってきた社会事情にあった。共通する課題では、失業問題、社会保障費、雇用保険費という企業の雇用コストの増加により、新しい貧困や「社会的排除」問題があらわれてきた。問題解決のため、欧州委員会の「雇用・社会問題・均等総局（当時の名称は、Employment, Social, Affairs, and Equal, Opportunnities）」は、諸国間の社会政策を連携促進するために、次の４点の目標を掲げた。第一に、多くのより良い仕事の創設に基づいた経済成長。第二に、高水準の社会保護。第三に、すべての人に対する機会の均等。第四に、欧州連合がグローバルな政策アクターとして、欧州社会モデルの経験及び蓄積を提供し、世界の社会的側面を改善に起用することである[2]。

　1993年12月に「ドロール白書（「成長、競争力、雇用――21世紀に向けての挑戦と方途」）」が欧州理事会に提出され、さらに1994年に発表された「社会政策白書」が、社会「連帯」のあり方を明示し、経済の統合のみならず、より積極的な「機会のよりよい配分」によって補完、代替すべき、福祉と富

1　岡部みどり「欧州統合進展にともなう共通移民・難民政策の質的変遷」、「国際関係論研究」第16号を参考。
2　引馬知子「欧州社会モデル下のEU高齢者雇用政策と関連社会保障改革」、「豊かな高齢社会の探究 調査研究報告書2003」、佐藤進「EU拡大下のEU社会政策の意義と課題」、「海外社会保障研究」（165）、2008年、4-13頁を参考。

の創造機能の間の協調を図ることが必要であると強調した[3]。ここで、いわゆる欧州社会モデルを提示することになった。

　その後のリスボン欧州委員会は、「リスボン戦略 2000 年〜2010 年」を採択した。同戦略は、①持続的な経済成長、②完全雇用、③仕事の質と生産性の向上、④社会的結束の強化を政策目標として欧州経済社会モデルの構築を掲げた。この戦略はすべての人に社会参加の機会を与えるという共通社会政策の基本理念に基づいたものである。

　"欧州社会モデル"の構造は、主に次の三つの柱により支えられている。

　第一に、社会の平等及び労働市場へのアクセス：教育、訓練及び生涯教育の保障、男女平等、機会平等、雇用に対する積極的な支援など。

　第二に、公平な労働条件：安全で重要な雇用、賃金平等、介護などの場合における雇用条件および雇用保護に関する情報の提供、ワーク・ライフ・バランス、健康で安全で条件に合った職場環境とデータ保護など。

　第三に、社会的な保護及び包摂：子育ておよび子育て支援、社会的保護、失業給付、最低所得保障、老年時の所得と年金の保障、医療の保障、障碍者の包摂、介護サービスの提供、在宅及びホームレスに対する支援、不可欠なサービスに対するアクセルなど[4]。

3　濱口桂一郎「欧州社会モデルに未来はあるか？」http://hamachan.on.coocan.jp/miraihaaruka.html

4　欧州連合日本政府代表部「EU 雇用社会政策の現状・課題・動向について」を参考。

"欧州社会モデル"の特徴は、福祉アプローチと市民権アプローチを共存させる政策を重視することであり、すなわち、抽象的な市民権をより具体的に市民生活の向上に結び付けていくことである。

　包摂的な経済成長、高い生活水準、働きがいのある人間らしい労働条件を促進する包括的な社会政策集合として、欧州の社会モデルは戦後欧州社会の分断を乗り越え、社会の形成に重要な役割を演じてきた。

　2008年から始まった世界金融・経済危機の最初の段階では、社会的保護のような要素が成長し、失業、貧困の影響を緩和する助けとなって、社会対話を通じて労使が設定した労働時間短縮のワークシェアリング制度が一時解雇を減らすことができたというように、その重要性は証明されるようになった。

　また、2008年から始まった世界的金融・経済危機に直面した時期では、社会保障や社会福祉政策の充実を通じて、失業、貧困の影響の緩和や社会的排除の回避など、大きな政策的効果が得られた。

　アジア地域では、これまで以上に、経済一体化や労働力の移動が速いスピードで進められている。しかし、それに補完すべき社会保障・福祉政策の機能の発揮は、極めて遅れている。日本においても、新型コロナウイルスの感染拡大の中で、解雇や雇い止めにあう外国人労働者が急増し、彼等が困窮に陥って行き場を失っている実態があちこちにあらわれている。"欧州社会モデル"に倣い、諸国間協調の歩みを共にし、地域全体の経済発展及び労働者の福祉権利を保障するシステムを構築していくことは、アジア地域のこれからの課題にするべきである。

II　共通する社会保障・福祉の可能性
　──歴史の視点からの思考

"欧州社会モデル"は、第2次世界大戦後の苦難を乗り越えようとする危機とチャンスが伴う時代に生まれた発想である。東アジア地域も、第2次世界大戦中の対立、対抗という辛い経験を味わった。1980年代以後は、この地域の経済一体化及び社会統合化が速いスピードで進められるのに伴って、通用性のある社会保障の創設が求められるようになった。今こそ、歴史的教訓を反省した上で多国間の協調の歩みを共にし、共通する政策の構築の可能性を探っていくことが不可欠である。

戦前、福祉政策の衝突と対話
　社会保障や社会政策の概念と理論は、東アジア固有のものではなく舶来品であり、欧米諸国の近代国家の確立期に生成されたものである。20世紀初め頃、欧米の理論と思想が東アジア地域に伝わって来た時に、それぞれの国に固有な思想・制度と出会い、また様々な衝突と対話などを経て、定着してきた。しかし、その伝播及び定着のプロセスの中で、アジア地域特有な、共通する特徴が形成されるようになった。例えば戦前は、社会政策や社会保障の理論受容について、日・中・韓3か国間の衝突や対話が絶えず続いた。それを次のような時期区分に沿って、考察してみる。

　19世紀後半、日・中・韓3か国が互いに交流し、影響し合った期間があった。これは第一時期にあたる。19世紀後半、中国を含むアジア諸国では、労災制度や年金制度などを取り込む

時に手本としたのは西洋であった。しかし、日本が明治維新の成功を経て近代国家を樹立した後は、欧州諸国から経験を吸収した日本を介しての、間接的な学習ルートによるものが増えた。その主要な背景として、急速な工業化の成功を遂げ、帝国主義の発展期に入った日本が植民地拡張政策を実行し、隣国に対して暴力的に日本の社会政策の価値観を注入したことがあった。この時期、中国と朝鮮半島では、多くの若者が日本へ留学し、日本の経験を模範として直接的または間接的に学び、日・中・韓の3か国が時空を越えて連動するという現象があらわれた。

　20世紀初頭から第2次世界大戦の終結までには、第二時期にあたる。この時期では、第一時期に見られた平和な環境はすでに失われており、多くの交流は 日本の武力侵略と植民地統治に伴い、強制的に浸透、導入されたものとなった。中国では、「以夷制夷（夷を以て夷を制す）」「知己知彼（己を知り彼を知る）」という精神から、やむを得ず日本について考察し模範とした事例もたびたび見られた。しかし、この時期の衝突と対話の範囲がより広く、より直接的であったことは否めない。

　1937年の「七・七事変（盧溝橋事件）」発生後、日本は「大東亜共栄圏」というスローガンのもと、植民地をアジア各地へ拡大していった。また、いわゆる「大東亜聖戦」の需要に応じて、植民地における社会事業（社会福祉の言葉を使用する前、社会事業で表現することが一般的であった）は、従来の社会事業の執行順序の仕組みを根本的に変えることが要求された。それまで社会的な治安を目指した社会事業対策が強まっていたのに対して、政治・経済の政策課題を社会事業的に再解釈するこ

とで、強力な東亜支配権の確立が働きかけられた。そのファシズム風潮の流れの中で、最も注目されたのは、「東亜社会事業連盟」への移行という構想であった。1938年、日本で刊行された雑誌『社会福祉』第22巻2号「巻頭語」、「東亜総体の社会事業」という目立ったタイトルのもと、「東亜社会事業連盟」の前奏曲は吹き鳴らされた。この「巻頭語」においていくつかの新しい論点が提起された。それは、①中国本土で展開した戦争は、「単に武力戦に勝つことをもって決定をなすものでなく、支那四億の民衆の生活の安泰を計り、彼らがわが聖戦の真意を理解せしめ、真の東洋和平建設の工作に協同せしむることが最も重要な作業」[5]であること、②「東亜総体偕和協調の原動力たる日本精神、日本文化は先ず社会事業意識の前哨戦を持っていくことは最善の方法と信ずる」こと、③「教化を与え、『広義社会事業』を唱へる必要性が大いにある」、「広義社会事業を行うには、中国国民の性格を利用しなければならない」などである[6]。この問題提起により、「東亜社会事業連盟」の思想準備は本格的に始まった。

　東亜社会事業連盟を具体化する動きは、1939年から始動した。日本政府興亜院の政務部と文化部は、まず数回にわたって日本社会事業関係の役人や専門家を朝鮮・満洲・中国本土に派遣し、多項目の社会事業調査を行った。1939年4月、日本女子大学教授の生江孝之は、興亜院の社会事業施設調査の委託を受けて、

5　東京都社会福祉協会「東亜総体の社会事業」『社会福祉』第22巻2号「巻頭語」、1938年。

6　同上。

中国で1か月あまりの調査を行った。同年7月、興亜院は、日本国内の社会事業専門家・学者など6人からなる調査班を派遣し、「満蒙」・「中支那」（華中）・「北支那」（華北）において2か月にわたって調査を行った。これらの調査班の調査内容とその担当者は次のように決められていた。①「満支社会事業の全般概要」の担当者は日本厚生事務官の岡村周美と興亜院嘱託の橋爪克已、②「一般救護事業」の担当者は財団法人弘済会長の上山善治、③「医療救護」の担当者は恩賜財団済生会救療部長の飯村保三、④「児童保護事業及び農村社会事業」の担当者は財団法人中央社会事業協会主事の福山政一、⑤「経済保護事業及び社会教化事業」の担当者は財団法人上宮教会常務理事の高木武三郎。調査班のメンバーは、いずれも当時学問の最前線で活躍していた社会事業の専門家であった。調査班の主な対象都市は、上海・杭州・嘉興・蘇州・無錫・鎮江・南京・蕪湖・北京・済南・青島・張家口・大同・包頭など17都市であり、訪問した関係官公役所・団体および視察調査した社会事業施設は合計197か所にのぼった[7]。

　以上のような事前調査に基づいて、1940年10月に東亜社会事業連盟を決起する「興亜厚生」大会が大阪で開かれた。主催者は日本厚生協会であり、朝鮮、「満洲国」、「中華民国」（汪兆銘傀儡政権）、タイ、フィリピン、インド、ビルマなど12か国の代表合計2000人が参加した。この大会を通して「満洲国」、蒙古、「北支」、「中南支」からの参加者が厚生運動を通して「極めて親密となり」、日本厚生協会の会長代理はそれを大

7　東京都社会福祉協会『社会福祉』第22巻2号、1938年。

会の成果として取り上げたという[8]。

　1940 年代以後、東亜社会事業連盟構想の影響下で、中国で作られた傀儡政権である「満洲国」や「汪兆銘政権」の支配地域を含んだアジア地域では、社会事業の関連領域において日本の戦時体制への協力、奉仕を担わされる運命となった。

　ここでは「社会事業」政策という用語の使用を例に挙げ、この時期における 3 か国間の衝突や対話をより具体的に考察したい。

　述べてきたように、社会政策や社会保障という用語が使用される前、日・中・韓 3 か国においては「社会事業」という用語が使用された。日本語の文脈から、社会事業とは、社会からの援助を必要とする人に対し、公私の団体が行う生活改善や保護・教化の組織的な事業と解釈される。この用語は、英語の social work が語源となり、伝統的な慈善救済事業とは区別され、新しい概念を意味していた。日本は 1908 年にイギリスの charity organization society（COS）を手本として慈善救済協会を設立していたが、社会福祉の行政化と組織化を図るため、1921 年に社会事業協会と改称した。その後、「社会事業」は政策用語となり、日本では幅広く使用されるようになった。また、社会事業実践の人材育成について、1918 年から 1930 年の間に、東京女子大学、日本大学、日本女子大学、東洋大学などにおいて、次々と社会事業関係講座や学科が開設され、社会事業の専門教育が展開された。中国、朝鮮の留学生がその専門教育を受けたという。さらに、同時期に内務省や東京市社会局及び中央

8　沈潔『満州国社会事業史』ミネルヴァ書房、1996 年、60 頁。

社会事業協会などが、社会事業短期講習会や研究生養成を通じて、アジア地域の若手実務家の研修・養成に力を入れた。日本の社会事業短期講習会などに参加した若手実務家らは、帰国した後、自国の社会事業普及に携わった。

　1980 年代以後の戦後、3 か国の交流と対話は、第三時期に入った。第二次世界大戦終結後、しばらく「東西冷戦」の時期があり、東アジア 3 か国間の社会福祉関係の交流と対話も「冷戦」の状態にあった。しかし、1965 年の日韓国交正常化と1970 年代以後の韓国経済の急激な発展に加えて、1972 年日中国交正常化と 1970 年代後半から始まった中国の市場経済改革は、東アジアを冷戦後の対立状態から解放させた。

　特に 1990 年代以後、日・中・韓 3 か国の政府間における社会保障構築についての対話及び学術界での頻繁な交流は、社会保障での 3 か国を新しい協力時代に導いた。例えば、筆者が発起人の一人として立ち上げた「東アジア社会保障フォーラム」も、その一例である。2004 年に筆者が中国と韓国の社会保障研究の代表的な研究者との連名で（日本）国際交流基金の助成を得て、第一回の「東アジア社会保障フォーラム」を開催した。以後、同「フォーラム」は日本、中国、韓国の社会保障分野の国際交流の重要な舞台となり、3 か国の研究者が毎年持ち回りで主催することになった。この民間活動はすでに 17 周年を迎えた。

　上述したように、日・中・韓 3 か国では 19 世紀末から社会政策理論の受容及び政策の実施レベルにおける衝突や対話が戦前にすでに始まり、戦中と戦後の対立や交流を経て、現在まで続いてきたのである。

図 5-1 「漠河にいる日本人老女」（1920 年代頃）
漠河の隆盛時期に熊本県からここに売られた者（外国人の妻）を描く。吉田アキ子（警察勤務の妻）、堤田夏（満人農夫妻）、西山タマ（ロシア人の妻）の 3 人。故郷と交通のない 20 年。
出典：野長瀬晩花『北満国境線をかく』、1936 年

戦前におけるアジアの国際結婚

　この一枚のスケッチは、戦前の画壇で活躍した画家の野長瀬晩花（1889 年〜 1964 年）が描いたものである。

　野長瀬は 1920 年代頃に中国東北部（旧満洲地域）に数回旅行し、その際に描いたスケッチを『北満国境線をかく』にまとめ、1936 年、私家版として出版した。収録された一枚一枚は彼の眼に映ったものを忠実に描かれていたと思われる。

　このスケッチの時代背景には、1920 年代前後、中国の漠河（現在の黒竜江省大興安嶺地区、中国の最北端に位置する）で盛んとなった金鉱の採掘がある。日本や朝鮮半島及び中国本土から、一攫千金の夢を抱えた人々がこの極寒の地に集まった。その中には、多くの日本人女性の姿もあった。スケッチに描かれた 3 人の外国人妻は全員日本人であり、出身地の熊本県から転々と売られてこの地に辿り着いた。一人は吉田アキ子、中国

人の警察官の妻になった。一人は堤田夏、満州人の農民の妻になった。もう一人の西山タマは、ロシア人の妻になった。つまり、日本人の女性は、それぞれ漢人、満人、ロシア人の「外国人妻」となったのだ。画家の野長瀬晩花の解説がなければ、チャイナ服を着ているし、タバコを吸っている女性が日本人だとは思わない。また、発掘史料からは、満州開拓村に日本人家族が暮らし、隣にはロシア人の村があり、原住民である中国人が生活している村も隣にあったことがわかる。いろいろなトラブルがあったようだが、同じエリアで共同生活をしていたのだ。庶民たちの生活上での交流は、濃密だったと思われる。

戦前の大連にある多種多様な福祉施設

戦前、アジアの真珠と言われていた大連では、植民地時代に日本人が作った日本人のためのもの、ロシア人が作ったロシア人のためのもの、そして従来の中国人のためのものなど、多種多様な福祉施設があった。代表的な福祉施設の一つは「満鉄」の大連附属病院である。基本的には、日本人

図5-2 「日本救世軍ガ満州救世軍育児婦人ホーム内ニ於ケル育児状況」[9]

---

9 沈潔他編「戦前、戦中期アジア研究資料」シリーズ、『写真記録「満洲」生活の記憶』近現代史資料刊行会、2018年。

患者を対象とする施設だが、場合によって中国人、韓国人も利用できる。また、旧満州に進出した日本の救世軍が作った救世軍育児婦人ホームは、中国人、韓国人、そして日本人女性と孤児らが主な収容対象であった。風俗業界で働いた女性で、病気などで倒れ、業界に追い出された人たちが多かったようだ。施設に入所した多民族女性の間には、日本人女性を頂点して、その下に朝鮮人、中国人というピラミッド状の秩序関係が厳しくあったが、一つの屋根の下で共同生活していた場面も見られる。

この点から見ても戦前の不幸な歴史を乗り越えて、「欧州社会モデル」足跡に学び、協調・共生の理念を共有しながら、地域全体に通用する社会保障・福祉の構築に向けて再出発することは、今後の課題にすべきであろう。

Ⅲ　結婚圏・移住圏・福祉圏が拡大しつつある現代

現在、アジア地域全体では、結婚圏、移住圏、福祉圏の拡大によって、人々の生活は急速に変貌している。

越境する結婚の拡大
アジア地域には、戦前から越境しての結婚があったが、エリアや階級は限定的だった。戦後は、日本などアジア諸国の経済活動の国際化に伴い、人々の国際的移動も活発になることにより、「越境する結婚」現象も急速に拡大されつつあった。
日本の国際結婚
まず、1960年代以降、日本における越境する結婚の拡大変化をデータで追って見てみよう。

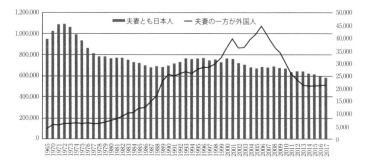

図 5-3 日本における国際結婚件数の推移
出典：厚生労働省「日本における外国人の人口動態」国籍別婚姻件数の構成、2018 年

　図 5-3 は、棒グラフが夫妻とも日本人の結婚件数、線グラフが夫妻の一方が外国人の結婚件数を示し、その年代推移をまとめたものである。夫妻の一方が外国人である結婚件数の年代推移を見れば、1960 年代に入って「越境する国際結婚」の件数が増えつつあったことがわかる。この形態は、1980 年代に年間 1 万件程度までに増加、1990 年代に 2 万件を超えるようになった。その背景には、多くの若者が農村地域を離れ、都会へ就職したことで、農村に残って農業を継いだ男性の結婚難が課題となったことがあった。この男性らの結婚難を緩和するため、村行政は先頭に立って東南アジア地域に入って、外国人花嫁を迎える対策を取ったのだ。2000 年代になると、国際結婚件数は 4 万件を超え、急上昇の傾向が見られた。これは国際結婚の市場化を背景として、結婚仲介を通じてアジア貧困地域の花嫁が日本に送り込まれたと考えられる。市場を介した国際結婚は一種の人身取引とみられ、国際社会からの日本に対する厳しい批判が殺到した。2010 年以後、"アジア花嫁"の結婚件数

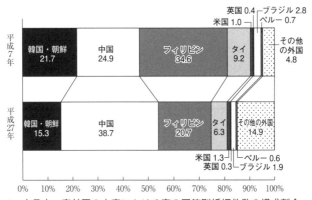

図 5-4　夫日本－妻外国の夫妻における妻の国籍別婚姻件数の構成割合──
平成 7・27 年
出典：厚生労働省「日本における外国人の人口動態」国籍別婚姻件数の構成、
2018 年

が少なくなった。一方で周辺の韓国や台湾、中国などの男性結
婚難の問題は深刻となり、"アジア花嫁"を奪い合う状況があ
らわれたことは件数減少の一つの要因と思われる。

　2018 年に厚生労働省が公表した国籍別にみる婚姻動態は、
図 5-4 の通り。1995 年と 2015 年のデータを比較し、夫日本
－妻外国という夫妻における妻の国籍別婚姻件数の構成割合
は以下になる。1995 年で 34.6％だったフィリピンが 2015 年に
20.7％に減少している。また、1995 年に 24.9％だった中国が
2015 年に 38.7％に上昇している。

　一方、妻日本－夫外国の夫婦における夫の国籍別婚姻件数の
構成割合をみると（図 5-5）、1995 年に 41.0％だった韓国・朝
鮮が 2015 年に 25.4％までに低下、中国と米国には大きな変動
がなかった。一方、英国やブラジル、その他の外国の増加は著
しい。そのうち、妻日本－夫アジアの夫婦の割合は 1995 年に

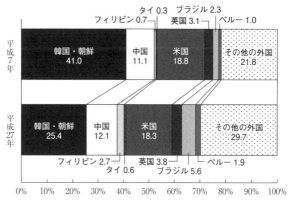

図5-5　妻日本－夫外国の夫妻における夫の国籍別婚姻件数の構成割合──
平成7・27年
出典：図5-4と同じ

5割以上だが、2015年に4割弱に減少した。

　近年、アジア系同士の国際結婚の有名人も増えてきた。例え
ば、離婚協議中だが、国民的アイドルの卓球選手福原愛は台湾
人男性との国際結婚、タレントの関根麻里は韓国人の歌手と国
際結婚、アジア地域で人気ある国際的な女優林志玲は、日本人
俳優のAKIRAと国際結婚し、いずれも社会的に注目されてい
る。

韓国の国際結婚

　韓国における越境する結婚は、韓国行政自治部の「外国人住
民現況報告（2015年1月時点）」によると、韓国の長期滞在の
外国人は、137万人を突破し、国際結婚は結婚総数の10％前後

を占め、その数は約15万人だという[10]。韓国の場合、超少子化の問題は日本より深刻で、国際結婚は少子化問題を緩和する解決策として期待されている。2005年以降、行政は国際結婚家族支援に力を入れ始め、2008年には「多文化家族支援法」が実施され、法的・制度的基盤が整えられた。現在、韓国の総235自治体のうち、217か所に「多文化家族支援センター」が設置され、国際結婚家族は、様々な支援事業を受けられるようになった。多文化家族の中で生まれた子どもたちは、2015年の時点ですでに20万7693人となった。父母の出身国としては、中国（朝鮮族の中国人など）が最も多く、その次にベトナム、三番目にフィリピン、四番目は日本となっている[11]。実際、国際結婚の家族は、韓国の少子化問題の緩和に貢献している。

中国の国際結婚

　中国における越境する結婚は、中国民政部2020年の公表データによれば、2019年に夫や妻の一方が中国国籍である国際結婚は、2019年に4万8424組となっている。そのうち、香港・マカオ・台湾の華僑との結婚は1万2948組で、それ以外の外国籍の外国人と結婚したのは3万5476組であった。

　中国政府が公表した国際結婚データは、東南アジアの国境線と隣接している雲南省や貴州省等、少数民族が生活している地域での、ベトナム人やミャンマー人の女性と中国籍男性との不法結婚については統計上に反映されていない。1990年代以後、

10　金愛慶ほか「韓国の多文化家族に対する支援政策と実践の現況」、『名古屋学院大学論集・社会科学篇』第52巻第4号、2016年、115頁。

11　同上、119頁。

この地域の若者が都会へ出稼ぎに流出し、残った男性は結婚難の問題を抱えている。筆者は2018年頃、ベトナム人の花嫁村といわれる雲南省の壮家古寨を調査した経験がある。この村の住民は300人前後のうち、ベトナムから嫁いだ女性が30数名だった。しかし、正式な結婚届を出していない女性が約半分だと言われていた。この村はベトナムと隣接して、国境線は一本の細い川だけ、嫁いだベトナムの女性は実家に戻ることが簡単だということもあり、結婚届を出していない夫婦でも関係は安定しているという。

台湾の国際結婚

台湾での越境する結婚は、1970年代からすでに始まっていた。最初は、台湾に行った中国大陸の退役軍人の結婚相手として、フィリピンやタイの女性が迎えられた。1980年代になると、台湾農村地域の男性の相手として国際結婚が増加した。特に1990年代中頃から、中国大陸や東南アジアをターゲットとする国際結婚ビジネスが盛んになり、これは単なる結婚相手を期待するのみならず、親の介護の担い手としての役割も期待された。当時、インターネット上で「大陸人花嫁」や「外国籍花嫁」等のキーワードで検索すると、写真付きのデータが送られてきたという。このような国際結婚は、一種の人身取引と見られ、世間からの批判を浴びた。

台湾内政部のデータによると、2018年時点での外国籍の人口は65万人を超え、全人口の約3％を占めている。2018年の段階で、台湾の外国人花嫁は40万人を超え、日本や韓国と比べて最も多い。また、2019年に台湾で生まれた子どもの8％が国際結婚の親を持っている。蔡英文政権は「新住民政策」を

打ち出して、積極的に国際結婚家族を支援する姿勢だ。ただし、現段階の台湾の規定では、親のどちらかが台湾の「国籍」を持たないと、すべての社会保障・福祉サービスの利用ができない。韓国では最近の「多文化家族支援法」改正によって、国籍の必須条件が外されたが、台湾にはまだ改善の余地が残されている。

　少子高齢化問題の緩和策として、国際結婚は多くの国と地域で試行錯誤しながら取り込まれてきた。一方、アジア地域の現状を見る限り、国際結婚の二極化は注目すべき課題である。二極化とは、エリート同士の結婚と低所得層の男女の組み合わせの結婚である。低所得層同士の結婚は、生まれた子どもも低所得層に陥ることが多く、貧困の連鎖が問題となる。また、低所得層同士の結婚は、女性が子どもを産むことや親の介護を強制されるなど、再生産領域のジェンダー規範問題が指摘されている。

　いずれにしても、アジア地域における越境する国際結婚は、様々な生活課題を抱えて、多国間の連携による社会保障・福祉のアプローチで対応していかなければならない。

越境する移住圏の拡大

　アジア地域では、国際結婚による海外移住のほか、労働関係のための海外への移動・移住者が急増している。いわゆる移住圏の拡大である。

日本に移住や長期滞在の外国人

　出入国在留管理庁によると（図5-6）、2019年6月末の在留外国人数は速報値で282万9416人となり、前年末比3.6％増

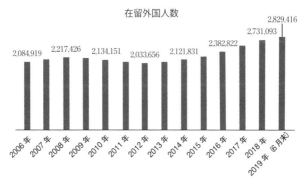

在留外国人数

2,084,919 2,217,426 2,134,151 2,033,656 2,121,831 2,382,822 2,731,093 2,829,416

2006年 2007年 2008年 2009年 2010年 2011年 2012年 2013年 2014年 2015年 2016年 2017年 2018年 2019年（6月末）

図5-6　在留外国人推移（2006 - 2019）
出典：法務局在留外国人統計より [12]

となった。2008年の221万7462人に対して、10年間で60万人が増加し、過去最高を更新している [13]。

日本に住む外国人の出身エリアは表5-1の示した通りである。

東アジアは最も多く48.2%を占め、次に東南アジア28.0%、南アジア6.7%、西アジア0.6%の順となる。アジアエリア出身の外国人は圧倒的である。

表5-1　外国人の出身エリア（2018年12月末）

エリア	人数	構成比
東アジア	1,315,584	48.2%
東南アジア	765,767	28.0%
南アジア	182,313	6.7%
西アジア	15,433	0.6%
ヨーロッパ	80,221	2.9%
北米	73,603	2.7%
南米	265,214	9.7%
オセアニア	15,660	0.6%
アフリカ	16,622	0.6%
無国籍	676	0.0%

出典：同図5-6

12　法務局在留外国人統計を参照。　http://www.moj.go.jp/isa/policies/statistics/index.html。

13　同上。

表 5-2　海外長期在留邦人数（2018 年 10 月）

順位	国	長期在留邦人数	前年比	永住者の割合
1	米国	446,925	+4.9%	47.0%
2	中国	120,076	−3.3%	2.7%
10	韓国	39,403	−0.9%	31.6%
11	シンガポール	36,624	+0.6%	7.5%
12	マレーシア	26,555	+8.8%	7.7%
13	台湾	24,280	+15.3%	13.3%
14	ベトナム	22,125	+28.1 %	1.4%

出典：参考作成 https://tanaperty.com/immigrate-overseas-ranking50/

日本人の海外移住

　表 5-2 に示されたように、2018 年の時点で中国や韓国に長期滞在及び移住している日本人は、前年に比べるとマイナスになった。代わりに、ベトナムは 28.1%、台湾は 15.3%、マレーシアは 8.8% 増加になった。日本企業の海外工場が、人件費が高くなった中国や韓国から離れ、人件費のより低い地域へ移転していることが主な背景である。

　みずほ銀行研究所のデータによると、海外長期在留邦人数は、1989 年の段階での 58 万人に対して、2018 年には 139 万人まで増えた。また、移住エリアに関しては、アジア地域への移住や長期滞在が、近年急速に増えた。

越境する福祉圏の拡大

　越境する福祉圏の拡大は、社会福祉領域における人々の往来や福祉政策の移転という連携が活発な時期に入ったことを意味する。戦前は、日本が「東亜社会事業連盟」の組織作りを図って、植民地支配の一環として朝鮮半島、台湾及び旧満州で様々な施設を作り出したが、これは植民地支配の飴と鞭を併用する

手段だとして、現地住民の反感をかった。

　戦前の教訓を汲み取った関係もあり、1980年代以後、アジア地域での相互支援の立場に立った福祉の交流は活発になった。ここに、外国人介護労働者の国際移動の事例や介護保険制度の学び合いを取り上げて、越境する福祉圏の拡大を考えてみる。

外国人介護労働者の国際移動

　OECD諸国の高所得国では、医療・看護人材の外国人割合が非常に大きい。ポーランド、トルコ、スロバキアといった新興国を除けば、医師・看護師の少なくとも5％は外国生まれである[14]。

　日本では、2008年からEPA（経済連携協定）の発効によって、インドネシア、フィリピン、ベトナムからの看護師・介護福祉士候補生の受け入れが始まり、さらに2014年、日本政府は「外国人介護人材受け入れの在り方に関する検討会」を設置し、行政サイドからも経済連携協定（EPA）を通してアジアからの外国人介護人材の受け入れ体制の整備を進めてきた。その主な背景としては、2025年には団塊の世代が75歳以上となり、後期高齢者が2000万人を突破すると共に、認知症や医療的ニーズを併せ持つ要介護高齢者の増大が見込まれていることがある。それに関連し、介護人材が約38万人不足すると言われている。

　大和総研が調査した外国人介護労働者の国際移動に関するデータを参考に、アジア地域での状況を考察してみよう。表5-3に示されたように、アジアエリアの中で越境する外国人介

14　林玲子「医療・介護人材の国際人口移動」、『社会保障研究』Vol.1, No.3。

表 5-3　外国人介護労働者の国際移動

	外国人介護労働者数 （万人）	外国人介護労働者 /65 歳以上人口	2017 年高齢化率	2017 年総人口 （万人）
日本	1	0.0%	27.7%	12,671
中国	2,000	13.4%	10.8%	138,271
香港	37	29.7%	16.8%	741
シンガポール	25	47.8%	13.0%	397
韓国	20	2.8%	13.8%	5,145
台湾	25	7.6%	13.9%	2,363

（注1）外国人介護労働者数には家事労働者が含まれる。
（注2）外国人介護労働者数は、中国と韓国は United Nations ［2017］より、それぞれ 2010
年、2016 年の数字。それ以外の国は 2017 年の数字。
（注3）中国の高齢化率、総人口は 2016 年の数字。

出典：大和総研ホームページ

護人材は、2100 万人の規模で移動している。アジア諸国・地域の中で、日本が受け入れた介護人材は最も少なく、2017 年までに受け入れた外国人介護人材はわずか 1 万人程度だった。その理由は、日本は「高度人材」として介護福祉士国家試験を得る必要があり、介護施設での労働に限定されたこともある。ハードルが高いため、外国人にとって参入しにくいといえる。

　一方、台湾、香港、中国大陸、シンガポールの場合は、国家試験を受けることや施設で働くことは条件とせず、「単純労働者」として受け入れている。こうした外国人介護労働者は、香港に 37 万人、シンガポールに 25 万人、台湾に 25 万人、韓国に 20 万人が、それぞれの国と地域で働いている。労働場所から見ても、実際は個人契約で家に住み込んで育児や介護を担う家事労働者が大半となっている。

　外国人ケア労働者は、東南アジア諸国の出身者が多かった。日本より外国人介護労働者の受け入れに先行した台湾は、地域内の労働人口不足を補うために、1991 年に「就業服務法」を制定し、介護労働を含んだ外国人労働者の受け入れ制度を本格的にスタートした。台湾行政院の 2015 年データでは、外国

人ケア労働者の国別はインドネシア人が79.4％、フィリピン人が11.3％、ベトナム人が9.1％、タイ人が0.3％といった状況であった。タイのように経済発展が続く国からの就労者が減る一方で、賃金水準の低いインドネシア人の就労者が増加している。

　越境する介護労働者の国際移動として、低所得国の人々が高所得国へ流れ込んでいく現象がアジア地域及び欧州諸国において共通する。しかし、外国人介護労働者が、単なる出稼ぎ労働者としての国際移動ではなく、それを自分のキャリア形成過程の一環として成長し、ノウハウを持ち帰って、自国の福祉発展に貢献するという還流現象もあらわれている。

介護政策・介護技術の移転現象

　私たちの研究チームが2014年頃にベトナム調査に行った時、一軒の介護施設の施設長L氏と出会った。彼は日本の介護施設で1年半程度働いた経験を持ち、ベトナムに戻ってからすぐ裕福層を対象にした介護施設を作った。立派な施設で環境も良く、人気の施設となった。このような労働契約が終了し母国に帰国後、介護技術を持ち帰って母国の介護事業に生かした事例は非常に多い。

　この施設で調査を行った際、入所した一人の日本人男性と出会った。その男性は年金生活者で、奥さんと死別後にこの施設に入所した。自分の年金を使ってもまだ余裕があるそうだ。介護サービスの質は高いとは言えないが、自然環境と、利用料が極めて低いこと、特に日本人を大切にしてくれるという点に満

足しているという[15]。

　一方、介護保険政策における学び合いや政策移転の現象は、はっきりと確認できる。

　日本は、2000年に介護保険制度の実施に舵を取って、アジア地域の中では初の介護保険制度を実施した。その後、日本の制度を参考にしつつ、2008年に韓国が介護保険制度を導入、台湾では2015年6月に「長期照顧服務法」（以下、長期介護サービス法）が国会で可決され、2016年に心身の能力を喪失した要介護者を対象とした介護サービスの提供が試行錯誤しながらも始まった。2016年、中国も15都市で介護保険制度のテスト事業を展開した。現在、欧米諸国の中で介護保険制度を採り入れている国は極めて少ない一方で、アジア地域では上述したように次々と制度化されたというのは珍しい現象で、国際社会でも注目されている。なぜ、こうした連鎖現象はアジア地域において出現したのか？　理由の一つは、人口高齢化や移民を含むアジア地域の「人口ダイナミクス」があらわれたことである。もう一つは、外国人介護労働者の地域間の移動による介護政策や介護技能の移転が、迅速で確実に機能したことである。

　アジア地域は、越境する結婚圏、移住圏、福祉圏の急速な拡大につれて、人々の生活を支える年金、医療、介護福祉への対策を講じなくてはならない。現況では制度政策の壁は高く、様々な課題に直面しているが、将来はアジア地域に共通する社会保障・福祉の連携が求められる。

15　沈潔編『国際的通用性を有する外国人介護労働者の職業教育モデルの創設に関する研究』科研報告書、2016年。

Ⅲ　コロナ危機をチャンスにつなげ
──共通する社会保障の構築へ

　危機を乗り越えようとした時には、社会保障を含んだ社会政策面での変容が必要となる。今回のコロナ危機をチャンスにつなげていくために、共通する社会保障という新たな国際協調の仕組みが必要である。

コロナの危機で見えてきた社会保障の課題

　今まで、アジア諸国の社会保障は、基本的に１か国の制度として自国の国民が対象になり、その国でしか通用しないものであった。現在、結婚圏、移住圏、福祉圏の拡大につれて、人々の交流の輪及び国と国の間での連携は広がっているにもかかわらず、社会保障における国の壁は、未だ厚く、固いままである。外国に住む人々や外国人労働者は、基本的な社会保障の給付や社会福祉サービスを受けられない状況が続いている。

　現在の日本では、外国人居住者は 288 万人を超え、そのうちアジア系が 242 万人で、労働者は 146 万人を超えた。世界第 4 位の移民大国と言われているが、日本は依然として「移民国家ではない」という前提で外国人労働者政策を運用している。このような運用下での外国人労働者は、長期的な雇用制度を利用するのではなく、技能実習生として期間限定的な労働契約を結ぶことが一般的である。そうした労働契約は、彼らの年金や医療を保障する責任を回避することができる。また、日本の年金や医療保険制度は、長期加入が基本で、外国人労働者が加入資格をもらっても、自国に帰ると支払った保険料が事実上掛け捨

てになる仕組みであり、不利な条件が課されている。

　さらに、今回の新型コロナウイルスの感染拡大を受けて、外国人の雇用環境は急激に悪化した。日本では、外国人労働者や技能実習生への差別行為が度々起きていたことがメディアでも報道されている。外国人技能実習生への賃金の未払い、外国人労働者の解雇などについては、公的な統計で件数が公表されておらず、正確に捉えられない状況が続いている。日本の最後のセーフティーネットである生活保護は、永住者など一部の外国人しか受給できない制限があり、就労ビザで来日する外国人は排除されている。また、就労ビザの場合は離職から３か月以内に次の仕事を見つけなければ、ビザが取り消される可能性もある。外国人労働者は、極めて厳しい労働環境に置かれている。

　外国人労働者が抱えているもう一つの問題は、子どもの教育問題である。外国人の子どもは、日本で教育を受けて育つために、日本化しなければいじめられる。子どもたちは、親の母国と日本との間に挟まれて、思考の上でも言語の上でも、中途半端になることも多い。学齢期の児童・生徒が不登校となる事態は多発しており、その影響は外国人労働者の家庭、教育現場、地域社会へと波及し、放置すれば深刻な事態を招くことになりかねない。外国人労働者の家族に対する福祉支援は、より充実していかなければならない。

危機をチャンスにつなげ

　コロナ危機による様々な社会変化は、ポストコロナ時代の“ニューノーマル”を指し示している。今回の危機を共通する社会保障の構築への機会につなげ、アジア共同体の“ニュー

ノーマル"を創出することは可能である。

　コロナの危機をチャンスとするためには、この地域における社会保障協定が普及することが、まずは共通する社会保障実現の基盤づくりにつながる。社会保障協定とは、各国の社会保障制度において、保険料の二重負担や年金受給資格の掛け捨て及び漏れを防止するために加入するべき制度を二国間もしくは多国間で調整する協定である。また、年金加入期間の通算を行うための共通する社会保障制度でもある。

　現況では、外国人労働者は就労する国の社会保障制度に加入する義務がある国が多く、外国で就労する場合、就労する国と母国の社会保障制度との保険料は、二重に負担しなければならない事情が生じている。また、各国の年金を受給するには、一定の期間その国の年金に加入しなければならない場合があるため、外国人労働者の保険料は掛け捨てとなる事態が頻発している。

　外国人労働者の社会保障の基本権利を保障するために、関連する諸国は社会保障協定にサインし、二国間や多国間での調整によって、多発する保険料の二重負担を解消すべきである。また、保険料が掛け捨てとならないように、自国の年金加入期間を協定に結んでいる国の年金制度に加入していた期間とみなして取り扱い、その国の年金を受給できるようにすべきである。受給資格を確保するために、両国の年金制度への加入期間を通算することで、年金受給のために必要とされる加入期間の要件を満たしやすくすることも必要だ。

　日本は、外国人労働者受け入れ大国であり、共通する社会保障・福祉システム作りに対して、責任が大きい。日本の国民

表 5-4　外国人被保険者数の推移 [16]

年度	被保険者数（万人）【対前年度比】	外国人被保険者数（万人）【対前年度比】	占める割合（%）
20	3,597	85	2.3
21	3,567【99.2%】	85【101.1%】	2.4
22	3,549【99.5%】	85【99.5%】	2.4
23	3,520【99.2%】	85【99.7%】	2.4
24	3,466【98.5%】	86【101.2%】	2.5
25	3,397【98.0%】	88【102.8%】	2.6
26	3,303【97.2%】	91【103.6%】	2.8
27	3,182【96.4%】	95【104.2%】	3.0
28	3,013【94.7%】	99【103.8%】	3.3
29	2,945【97.7%】	99【100.5%】	3.4

出典：厚生労働省保険局「在留外国人の国保適用・給付に関する実態調査等について」

　年金保険の加入状況から見ると、2017 年の国保被保険者総数は 2945 万人。うち外国人は 99 万人で、全体の 3.4％を占める。全国平均から見ると、都市部の外国人被保険者は 10％を超えて、辺鄙地域では 0.0％となる。一方、日本全体の被保険者数が年々減少する傾向にある中、外国人の加入者数は増加しつつある。2008 年の外国人は全体の 2.3％であるのに対して、2017 年には 3.4％に増加している。

　日本は海外滞在の邦人を守るため、早い時期にも欧米諸国の間に社会保障協定を締結したが、アジア地域への広がりは遅れている。アジア諸国との締結状況は、2005 年に韓国、2016 年にインド、2018 年にフィリピン、2019 年に中国という順で日本社会保障協定に署名・発効した。ただし、外国人労働者が増

16　厚生労働省保険局「在留外国人の国保適用・給付に関する実態調査等について」、2019 年 6 月。

えつつあるベトナム、インドネシア、ラオス、ミャンマーなど東南アジア諸国の国との協定締結まで道のりはまだ遠い。社会保障協定に締結されていない国出身の在日外国人労働者は、「保険料の二重負担」や保険料が掛け捨てになる可能性が非常に高い。コロナ危機の中で解雇され、あるいは労働契約の約束があってもやむを得ず帰国する外国人労働者は、日本の保険機関に押さえられた年金保険料は、状況によって脱退一時金という形で一定の額が返金されるという規定がある。しかし、帰国後の申請や請求の手続きは煩雑などを理由に、放棄する外国人が多かった。結局、犠牲になったのは外国人労働者とその家族で、双方の国の社会保障の運用上何の支障も生じない。

　以上のような"外国に住む"人々の社会保障の権利を排除する問題は、各々の国や個人が解決できるものではなく、地域全体に通用できる社会保障システムで対応すべきである。

　誰に対しても、どこに行っても基本的な社会保障や福祉サービスを受けられるように、社会保障制度をグローバル化に対応させ、国境を越えて"持ち歩ける"社会保障の実現が急務である。

第六章　中国のライフサイエンス研究
——発展の沿革、関連機関、現状と特徴

林幸秀（公益財団法人ライフサイエンス振興財団理事長）

はじめに

　2020 年初頭からの新型コロナによるパンデミックは、科学技術の分野にも大きな影響を及ぼし、感染症対策を含むライフサイエンス研究に熱い視線が注がれることとなった。

　中国は、清朝末期に西欧流の科学技術に触れることとなったが、その後の政治的な混乱や新中国建国後の文革などの影響もあり、現代のライフサイエンス研究なかんずく最先端のライフサイエンス研究が始まったのは、文革終了後の 1980 年代以降である。

　改革開放政策を受けて経済が拡大するに従い、ライフサイエンス研究を含む科学技術も発展し、20 世紀末から今世紀初頭にかけて研究開発費や研究者数が急激に増大するとともに、科学装置や施設なども世界最新鋭となっている。

　かつては欧米や日本に滞在していた優秀な科学者・研究者も、中国の研究開発体制が充実してきたことから続々と帰国した。これを受けて、今世紀に入ってからの科学技術の爆発的な発展には目を見張るものがある。科学論文数や被引用数さらには特許数などが典型であるが、最近特に進展著しいのはゲノム編集などの最先端技術を用いたライフサイエンス研究である。新型

コロナ対応においても、米国や欧州諸国と肩を並べてワクチンの開発を進めてきた。

本章では、この様な中国のライフサイエンス研究に焦点をあて、ライフサイエンス研究の沿革、主なライフサイエンス関連機関、ライフサイエンス研究に関するインプットとアウトプットを紹介し、その上で中国のライフサイエンス研究の特徴を記述する。

I　ライフサイエンス研究の沿革

新中国建国以前

中国の近代科学技術の研究活動の歴史は、清の時代にさかのぼる。相次ぐ列強の侵略を受け、西欧の技術を学ぼうとする気運が高まり、大学の設立や留学生の派遣が清朝末期に相ついで実施された。しかしこの様な努力にもかかわらず、老大国清を立て直すことはできなかった。

1911 年に辛亥革命が成功して中華民国が成立し、袁世凱や軍閥の台頭などの混乱期を経て、1925 年に国民党による国民政府が成立した。国民政府は、学術研究振興の重要さに鑑み「中央研究院」を政府直属の最高研究機関として設立し、傘下に物理、化学、動物、植物などの 14 研究所を南京や上海に設置した。これが、中国国内における近代的なライフサイエンス研究の基礎であり、動物学や植物学を中心として生理学や薬学などの研究が実施された。

新中国建国初期

　1949年10月、天安門で毛沢東により中華人民共和国の建国が宣言された。新中国建国直後に、中央人民政府により中国科学院が設置された。中国科学院は、それまでの科学技術・学術研究の遺産ともいえる中央研究院などの施設や人員の接収をただちに実施し、1950年6月にライフサイエンス研究関係の生理生化研究所、実験生物研究所、水生生物研究所、植物分類研究所などを含む15の研究所を傘下に設置した。中国科学院は、その後急激に人員や予算を拡大し、やはり新中国建国後に充実強化されていった各地の大学と共に、ライフサイエンスにおける基礎研究や先端的な研究を担っていった。

　一方1956年、医学・薬学を扱う研究機関として中国医学科学院が北京に設置された。また、これとは別に、中国の伝統的な医学・薬学を研究する組織として1955年に中国中医科学院が設置されている。さらに農業技術を扱う研究機関として、1957年に中国農業科学院が設置された。人民解放軍の中にも、軍事医学を中心とした軍医大学などが設立された。

　1956年、科学技術政策の企画立案を任務とする「国家技術委員会」（現在の科学技術部）が国務院に設置され、建国後初の科学技術長期計画である「科学技術発展遠景計画綱要（1956年～1967年）」が決定された。この綱要において、ライフサイエンス関係では「農業、林業及び畜産業」と「医療及び健康」の二課題が重点課題として位置付けられている。また、これら二つの重点課題を支える研究として生物学が言及され、生物学は農業、林業、医療などの科学技術の理論的基盤であり、植物学、動物学、微生物学、昆虫学、人間と動物の生理学、植物生

理学、遺伝学、生化学、生物物理学、細胞科学、心理学、人類学と土壌科学に焦点を当てるべきとされた。

文革の混乱とその収拾

1960年代後半から文化大革命が始まり、中国の科学技術やそれを支える高等教育のシステムが根底から覆され、停滞した。

文革終了後の1978年3月、最高指導者の鄧小平が全国科学大会で「科学技術は第一の生産力である」とし、「できるだけ早く世界レベルの科学技術専門家を育成することが重要課題である」と主張し、中国に「科学の春」をもたらした。改革開放政策により科学技術も徐々に回復したが、20世紀末の時点で見ると中国の人材養成システムや科学技術レベルは依然として欧米や日本に比較して大きく遅れていた。

ライフサイエンス研究に関しては、文革の被害が回復するに伴って、動植物学を中心とした基礎生物学、農林学、漢方を含めた医学などは伝統的な学問の範囲内で発展していったが、DNA解析を中心とした分子生物学などは文革時代の空白のため欧米に決定的に後れた状況となり、1990年代後半までは目立った動きがなかった。

海亀政策と科教興国戦略

文革時代の約10年間の空白は大きく、中堅若手の人材が決定的に不足していた。そこで中国政府が取り組んだのは、海外にいて優れた成果を上げた中国人研究者の呼び戻しであった。この呼び戻し政策は「海亀政策（回帰政策）」と呼ばれ、1994年に中国科学院によって開始された「百人計画」がその最初を

飾る。中国政府の求めに応じて、優れた人材が続々と帰国し、非常に若くして研究責任者、研究室長、大学教授などに就いた。

　ライフサイエンス研究も、この時期から画期的に拡大していく。欧米や日本において、分子生物学、構造生物学などの新しい生物学を学んだ気鋭の科学者や研究者が帰国し、大学や研究所の研究責任者に就いていった。政府は設備装置や研究費の面で彼らを支援し、それに応えて彼らは優れた成果を上げていった。改革開放路線による経済政策が成功し、2001年に中国が世界貿易機関（WTO）に加盟すると、経済はさらに急激に発展し、研究成果が質量共に急激に増大していった。

SARSへの対応

　今世紀に入り中国は経済的に発展していったが、その途上で中国社会を大きく揺るがした事件として記憶されるのがSARSである。SARSは「重症急性呼吸器症候群（Severe Acute Respiratory Syndrome)」のことであり、2002年11月に広東省で非定型性肺炎の患者が報告されたのに端を発し、インド以東のアジア諸国とカナダを中心に、多くの地域や国々へ拡大した。中国では初期に305人の患者が発生し、うち5人が死亡した。翌2003年3月には、旅行者を介してベトナムや香港に飛び火した。世界保健機関（WHO）はこの時点で、原因不明の重症呼吸器疾患をSARSと名付け、全世界に向けて流行に関する注意喚起を行い、異例の旅行中止勧告を発表した。原因究明が進められた結果、同年6月には新型のコロナウイルスによる病気と特定された。2003年7月にWHOによって終息宣言が出されたが、WHOの報告によると香港を中心に8096人が

感染し、37 か国で 774 人（致死率は約 9.6 %）が死亡したとされている。

2019 年末には、武漢を震源地として新型コロナウイルスによる感染症が発生したが、2021 年初めの段階では、中国は SARS の経験もあり他の諸国に比して被害が少ない状況にある。

食品の安全性への対応

ライフサイエンス関係で、もう一つ中国社会を大きく揺るがした事件として挙げられるのが、食品の安全性問題である。2001 年に WTO に加盟し経済が発展するにつれ、中国都市部の消費者を中心とした国民が生活の質への向上を強く求めるようになり、食生活の高度化・多様化が急速に進み、肉製品、乳製品、缶詰の生産額が増大した。

その様な中で経済的利益追求のために悪徳業者が横行し、人体に健康被害をもたらす有害な食品が多数流通し、食品汚染問題が多発するようになった。中国政府は、2003 年 3 月に「食品安心プロジェクト」や「食品安全行動計画」を策定したが、相次ぐ事件の発覚で国民の不安は収まらず、2007 年 6 月、当時の高強衛生部長（現在の国家衛生健康委員会主任、日本の旧厚生大臣にあたる）を降格させ、医師で血液学の研究者であった陳竺中国科学院副院長を同部長に抜擢した。陳竺部長の尽力もあり、2007 年に国家食品薬品安全第 11 次 5 か年計画が発表され、2009 年には食品安全法が施行された。

21 世紀における科学技術の発展

現在、中華人民共和国が成立して 70 年が推移し、特に改革

開放以来の弛まぬ努力を経て、中国の科学技術は世界的な注目を集めるほど大きな成果を挙げており、科学技術の全体的な能力は向上し続けている。中国の科学技術のレベルは、重要な分野で世界の上位に躍り出ており、一部の先端分野で先進国をリードする段階に入るようになった。

　ライフサイエンス研究も同様であり、20世紀末までは動植物学や中医学を中心とした医学、農学といった新中国建国以前から存在していた学問が中心であった。しかしその後の中国政府の積極的な政策もあり、欧米や日本で研鑽を積んでいた有力な研究者が続々と帰国し、21世紀に入ってからは中国国内の基礎生物学、医学、農学などの分野の研究を世界的な水準に押し上げている。とりわけ最先端のゲノム科学やゲノム編集の研究は、世界でも米国と同等の成果を挙げていると言われている。

II　ライフサイエンス関連機関

　本節では、中国においてライフサイエンスに関わっている機関を紹介する。

政策策定機関

中国共産党

　中国は中国共産党による一党支配の国家で、憲法に「中国共産党が国家を領導する」と明記されており、中国共産党が国家を指導している。このため、中国共産党は国家の様々な政策に深く関与しており、ライフサイエンス研究や関連産業の振興などについても、党が行政部門である国務院を指導し、または国

務院と共同で政策策定にあたっている。

国務院

　日本の内閣にあたる組織が国務院である。科学技術部は、国務院で科学技術関連の行政を所管しており、日本の旧科学技術庁にあたる。ライフサイエンス研究でも基礎研究やプロジェクト研究で重要な役割を果たしている。

　国家衛生健康委員会は、国務院で国民の健康、医療、疾病対策などを所管しており、日本の旧厚生省にあたる。

　農業農村部は国務院に属する行政部門であり、日本の農林水産省に概ね相当する。農業、畜産、漁業に係る行政、農水産企業や農産品の認可、技術の試験、農業科学の研究と応用、農機の鑑定、獣医・獣薬・飼料・肥料・種子、農薬の監理などを行う。

規制関連機関

　国務院の中でライフサイエンス関連機関では、薬品や食品の安全性、研究の倫理的な制約などを所管する部局も重要である。

　国家市場監督管理総局は、食品の安全業務を所管している。食品の安全業務は国民にとって関心の高い事項であり、国務院内の諮問機関として食品安全委員会が設置され、同総局が事務局を担っている。

　国家薬品監督管理局は、漢方薬を含む薬品、医療機器、化粧品などの安全確認業務を所管しており、薬剤師の管理登録も行っている。

　国家中医薬管理局は、中国医学による治療・予防・健康管理・リハビリテーション・臨床治療の管理、中国医学と西洋医

学の統合の調整などを所管している。

政府の研究開発機関

　中国には、一つ一つ紹介できないほどライフサイエンス研究を行っている研究機関や大学が多い。ここでは政府直属の研究機関について述べる。

中国科学院

　中国科学院（CAS: Chinese Academy of Sciences）は国務院に直属し、傘下に100以上の研究所を擁し、2016年で職員数が約7万名、予算額が約520億元（約8500億円）と、世界的に見ても巨大な研究機関である。さらに中国科学院は、傘下の研究機関に大学院生を受け入れ、彼らに学位を授与することができる。このため、正規の職員以外に中国科学院全体で約4.5万人の大学院生がおり、彼らも正規の職員と共に研究活動を行っている。

中国医学科学院・北京協和医学院

　国家衛生健康委員会の直属組織で医学関係の重要な組織が、中国医学科学院・北京協和医学院である。

　北京協和医学院は医科大学で、歴史は新中国建国前にさかのぼり米国ロックフェラー財団により1917年に設立された。一方、中国医学科学院は国家レベルの医学学術研究機関であり、この二つの組織は連携して運用されていて、それぞれのトップである北京協和医学院の校長（学長）と中国医学科学院の院長は、同一人物が兼務している。

中国疾病予防制御センター

　中国疾病予防制御センター（中国版CDC）は、1983年に旧

衛生部の直属組織として設立された。主な業務は、疾病や感染症の予防と管理、公衆衛生の緊急事態対応、公衆衛生の教育などである。今回の新型コロナによるパンデミックにおいても、この組織が中心となって対応している。

中国中医科学院

　中国中医科学院は、漢方の医療や薬品に関する研究と治療を一体的に進めるため 1955 年に設置され、約 3500 人の専門家と技術者を含む約 6000 人の職員がいる。2015 年にノーベル生理学・医学賞を受賞した屠呦呦氏は、この中国中医科学院で研究を行った。

中国農業科学院

　農業農村部の傘下にある中国農業科学院は 1957 年 3 月に設立され、農業と農業科学の発展戦略研究、農業経済建設における重要な科学技術問題の解決、基礎的な研究などを主要な任務とし、中国の農業現代化に貢献している。

大学

　中国でも、ライフサイエンスの基礎研究や研究者の育成は、大学が主体である。大学全体の 3 分の 2 が国公立（2018 年現在、国公立 826 校、私立 419 校）であり、中国の有力大学は旧文部省に相当する国務院教育部の所管が多いが、日本と違い教育部以外の部や委員会なども大学を所管している。

北京大学

　北京大学の起源は、清朝末期の光緒帝の勅書によって 1898 年に設立された京師大学堂である。在校生約 5.2 万人、うち大学院生は約 2.6 万人である。ライフサイエンス関連の学部・大

学院としては、理学、生命科学、医学、人口学、分子医学などがある。

清華大学

　清華大学は、1911 年に米国政府より返還された義和団事件の賠償金を基に北京に設立された清華学堂が前身で、在校生約 5 万人、うち大学院生は約 3.3 万人である。ライフサイエンス関係の学部・大学院としては、医学、理学、生命科学などがある。

上海交通大学

　上海交通大学は、1896 年上海に創立された南洋公学を起源とする。在校生約 4.6 万人、うち大学院生は約 3 万人である。ライフサイエンス関連の学部・大学院としては、生物医療工学、生命科学技術、農業・生物学、医学、薬学、系統生物医学、トランスレーショナル医学などがある。

浙江大学

　浙江大学の前身は 1897 年に建設された求是書院で、中国で最も古い国立大学の一つである。在校生約 5.5 万人、うち大学院生は約 2.9 万人である。ライフサイエンス関係の学部・大学院としては、心理・行動科学、化学工学・生物工学、生物医療工学・測定科学、生命科学、生物システム工学・食品科学、農業・生物技術学、動物科学、医学、薬学などがある。

首都医科大学

　首都医科大学は、北京にある医科大学である。北京市に属し、教育部、国家衛生健康委員会が共同運営する医科大学である。臨床応用を中心とした予防、リハビリ、生物医学工学、医学基礎などの分野で多くの優秀な医療人材を育成している。学

生数は全体で約 1.2 万人、大学院生は約 4600 人である。学部として は、基礎医学、薬学、公共衛生学、生物医学工学、漢方医学・薬学、衛生管理・教育学、看護学、継続教育学、国際学を有している。

中国農業大学

　中国農業大学は北京に位置する大学であり、農学、生命科学及び農業工学、資源環境科学、農業オートメーション科学などを専門に扱う研究型大学となっている。学生数は全体で約 2 万人、うち大学院生は約 8000 人である。農学、園芸学、植物保護学、生物学、資源・環境学、動物科学技術、動物医学、食品科学・栄養工学、理学の各学部・大学院を有している。

人民解放軍

　ライフサイエンス関係では、人民解放軍も大きな役割を有している。

軍医大学と南方医科大学

　軍医大学は、人民解放軍の軍医などを教育するための機関である。中国共産党成立以来、軍事医療整備を目的として徐々に発展してきた。軍事、漢方、薬局、看護、健康管理、伝染病予防、医療検査、口腔病学、放射線治療、医用電子工学などの教育訓練を行っている。

　陸軍の所管する大学は陸軍軍医大学であり、国際的には第三軍医大学という名称を用いている。所在地は重慶市である。海軍の所管する大学は海軍軍医大学であり、国際的には第二軍医大学という名称を用いている。所在地は上海である。空軍の所管する大学は空軍軍医大学であり、国際的には第四軍医大学と

いう名称を用いている。所在地は陝西省西安市である。

　なお、従来第一軍医大学と呼ばれていた大学は、2004年から南方医科大学となっている。南方医科大学は広東省に属し、国務院の国家衛生健康委員会と教育部が共同管理する重点大学である。学生数は約2万人で、臨床医学、薬理学、毒理学の研究レベルが高い。

軍事医学科学院

　軍事医学科学院は、中国人民解放軍の最高の医学研究機関として1951年に上海に設置され、1958年に北京に移転している。主に軍事医学、基礎医学、バイオテクノロジー、健康機器及び薬物研究業務を実施している。

人民解放軍総医院・解放軍医学院

　人民解放軍総医院（301医院とも呼ぶ）は、1953年に設立された医療、健康管理を統合した、大規模で近代的な総合病院である。人民解放軍の部隊、将校、兵士の医療、前線での困難な病気の診断と治療を行っている。また同医院は教育機能も有しており、およそ4000人の学生を教育している。教育機関としての名称は解放軍医学院であるが、実際は総医院と同じ組織である。

Ⅲ　ライフサイエンス研究に関するインプットとアウトプット

インプット

　急激な経済成長を受けて、現在の中国のライフサイエンス関係の研究開発費や人員は巨大になっている。

研究開発費

ライフサイエンス研究を含む研究開発費全体の世界でのランキングを示したのが、表6-1である。この表では、IMFレートで換算しているが、購買力平価で換算すると、米国の51.9兆円に対し、中国は46.1兆円、日本が18.4兆円であり、中国は米国の90％近くにまで達し、日本の2.5倍である。

表6-1　主要国の研究開発費 2017年（IMFレート換算、単位兆円）

順位	国名	研究開発費
1	米国	60.9
2	中国	29.2
3	日本	19.1
4	ドイツ	12.6
5	韓国	7.8

出典：文部科学省「科学技術要覧 2019」

このうちライフサイエンス関係にどの程度研究開発費が投入されているかであるが、「中国科技統計年鑑2018」のデータから筆者が類推した数字では、全体の10％程度の約2.9兆円である。一方、米国は全体の25％程度で約15.2兆円、日本は全体の17％程度で、約3.2兆円と見込まれている。従って中国のライフサイエンス研究経費は、現在のところ日本と同程度であり米国とはかなりの差がある。中国では、多額の研究開発費を投入する医薬品産業（メガファーマー）がまだ存在していないためと考えられる。

研究者数

次に、ライフサイエンスを含む研究者数全体の世界でのランキングを示したのが、表6-2である。中国はダントツの世界一である。

このうち、ライフサイエンス関係にどの程度研究者が携わっているかであるが、「中国科技統計年鑑2018」の数字から類推すると全体の17％程度であり、約30万人である。一方、日本

表6-2　主要国の研究者数2017年
（単位万人）

順位	国名	研究者数
1	中国	174.0
2	米国（2016年）	137.1
3	日本	67.6
4	ドイツ	42.0
5	ロシア	41.1

出典：文部科学省「科学技術要覧2019」

は全体の30％程度で約20万人と見込まれている。米国のライフサイエンス研究者の割合を示す資料がないので日本の同程度の30％と仮定すると、約41万人である。従って中国のライフサイエンス研究者は、現在のところ米国と日本の間にある。ただし、中国科学院のところで述べたように、中国では研究機関が大学院生を受け入れて、これらの大学院生が正規の職員と同等の研究貢献をしていることに留意する必要がある。

アウトプット

論文数の国別比較

　ライフサイエンス研究の科学論文での中国の現状を見たい。文部科学省科学技術・学術政策研究所の「科学技術指標2019」は、米国、中国、日本を含む主要7か国の臨床医学と基

表6-3　臨床医学の論文数比較
（2016年〜2018年）

順位	国名	世界シェア（％）
1	米国	26.0
2	中国	11.7
3	英国	5.3
4	日本	5.3
5	ドイツ	4.8
6	韓国	3.4
7	フランス	3.1

出典：文部科学省科学技術・学術政策研究所「科学技術指標2020」

表6-4　基礎生命科学の論文数比較
（2015年〜2017年）

順位	国名	世界シェア（％）
1	米国	20.7
2	中国	16.1
3	ドイツ	4.5
4	日本	4.3
5	英国	4.0
6	フランス	2.8
7	韓国	2.7

出典：文部科学省科学技術・学術政策研究所「科学技術指標2020」

礎生命科学に関する論文数（分数カウント）の世界シェアを**表6-3**と**表6-4**のとおり示している。

これらを見ると、臨床医学と基礎生命科学の両分野での論文数における中国の存在感は、米国には劣るものの他の主要国と比較して圧倒的である。

特許出願件数の国別比較

次にライフサイエンス関係の特許を比較すると、**表6-5**は自国及び他国の特許当局に対する特許出願数を、出願者の国籍別に集計してランキングしたものである。データは2017年の世界知的所有権機関（WIPO）の資料である。中国は米国と首位争いを行っている。

表6-5　ライフサイエンス関係特許の国別出願数（2017）

順位	国名	出願数
1	米国	34,773
2	中国	32,879
3	日本	8,252
4	韓国	4,801
5	ドイツ	3,182

出典：科学出版社「2018中国生命科学・生物技術発展報告」

Ⅳ　中国のライフサイエンス研究の特徴

これまでの各節では沿革や事実関係を中心に記述してきたが、これらを踏まえて中国のライフサイエンス研究の特徴を述べたい。

豊富な資金

中国の科学技術における現在の最大の強みは、研究開発資金の豊富さであろう。中国の経済発展は20世紀末に始まり21世紀に入って加速した。このような経済の拡大発展を受け、中国の研究開発費の増加は急激かつ膨大である。現時点で中国全体

の研究開発費は米国に次いで第2位となっており、IMFレートで米国の半分のところまで来ている。

ライフサイエンスの研究現場では、中国の他の分野と同様に豊富な研究開発費を彷彿とさせるエピソードに出くわすことが多い。その大きな理由が、力のある研究者に対する研究資金の傾斜的な配分である。中国では、米国のグラント・システムを取り入れた競争的な研究資金が急激に拡大強化されてきたため、研究者全体に万遍なく配分されるのではなく、力のある有名研究者に絞って重点的に配分されてきている。このため現時点においては、中国の有力研究者は日本の有力研究者よりはるかに資金力に優れている。

圧倒的なマンパワー

中国の経済発展が進行するに従って状況は大きく変化し、2000年代に入り、中国の研究者数は急激に増大を始める。2000年で70万人前後と日本と同等であった研究者数が、2016年で約170万人を数え、米国の約140万人、日本の約70万人を抜いて世界一となっている。また、大学進学率も増加し、米国等に留学して博士号を取得する人も増えていることから、単に量だけではなく質的にも大幅にグレードアップされている。

中国の研究所や大学における研究開発のマンパワーを考える際、そこで修士号や博士号の取得を目指す大学院生の存在を忘れてはならない。中国科学院を例としてみると、傘下の中国科学技術大学や中国科学院大学だけでなく、研究所においても大学院生を教育できるシステムを採用している。研究生と呼ばれるこれらの大学院生の数は現在約4.5万名に達しており、その

半分が博士課程の学生である。したがって、正規の研究者約5.7万名に加えこの4.5万名が研究チームを構成するため、名目のおよそ倍のマンパワーとなる。さらにこれらの研究生は、全体に万遍なく配置されるのではなく、国家重点実験室などの重要なプログラムに重点配分されるのである。

研究資材が世界一流

ライフサイエンス関係の国の研究所や大学のトップレベル研究室には、欧米や日本の研究室と同等あるいはそれ以上の実験機器、分析機器、測定機器などがずらりと並んでいる。近年の研究開発費の増大もあろうが、最新鋭の研究機器を思い切って投入できる理由として、欧米や日本と比べ半周後れで研究開発が始まったため、古い研究機器やしがらみがなく、思い切って世界最先端のものが導入できることも重要である。また、中国自前の技術や製品へのこだわりがないため、国際的に最新鋭の研究機器を新規に導入することを躊躇しない。大型装置や共通先端装置などの建設も順調に進んでいる。

圧倒的な患者数

中国では、患者の多さが尋常ではない。人は誰でも病気にかかるものであり、一定の生活レベルに到達した国では適切な医療システムが確立し、結果として人口の多さは病院にかかる患者の多さにつながる。筆者も何度か中国の病院を視察したことがあるが、その患者数に圧倒された。通院患者の多さもさることながら、入院患者のベッドが廊下やエレベーターホールにまで溢れ出ているのである。中国における患者の多さは、臨床研

究や精密医療研究などで大きな貢献を果たす可能性が高い。

急激に拡大するライフサイエンス産業

　圧倒的な患者数は、医薬品産業やヘルスケア産業成長の大きな原動力となろう。中国の医薬品の市場規模は米国に次いで世界第2位であり、第3位の日本の倍近い数字となっている。将来的には米国を遥かに凌駕する可能性が高い。

　現在中国国内には、ファイザーなどのように研究開発を積極的に実施するいわゆるメガファーマーは存在しておらず、国内で承認された輸入製薬やジェネリックなどを製造販売する企業が中心となっている。販売・製造が中心である。しかし、中国政府はこのような状況に満足しておらず、医薬品製造においても世界に冠たる企業を育てようとしている。すでにその芽となる成果が出つつあり、生物製剤などの研究開発分野での特許取得数は世界的に見てもトップレベルにあるほか、世界のライフサイエンス系のベンチャー買収においても中国マネーは大きな存在感を有している。したがって、米国や欧州諸国に後れを取っていたこれらのビジネスは、今後飛躍的に拡大する可能性が高い。今回の新型コロナに対するワクチン開発の迅速さも、その兆候の一つであろう。

米国等との強いつながり

　ここ20年から30年の間に、中国と米国等の科学技術先進国との間で形成された人材循環システムにも注意を払うべきである。中国では、トップレベルの学生は北京大学や清華大学などに入学し、必死で勉学に励む。学部を卒業した後、優秀な成績

を修めた学生は米国の有名大学などに留学する。また国内で博士号を取得した学生も、やはり米国などにポスドク修行に出かける。

このように優秀な学生が米国などを目指すのは、国の研究所の幹部研究員や北京大学や清華大学等の有力大学の教授になろうとすると、米国などでの留学や研究経験が不可欠であり、中国国内に留まって研究を続けるだけでは高いレベルのポストに就くことが困難であるためである。

個々の研究者にとっては大変負担の大きいシステムであろうが、異文化に接することにより研究者としての資質が鍛えられる、欧米にいる研究者コミュニティと連携することができる、共同研究などが可能となり国際共著論文作成が増加するなどのメリットがあり、中国の科学技術レベルの向上という意味では大変重要である。とりわけ分子生物学をはじめとする近代生物学の研究者はほとんど留学や外国での研究経験を有しており、世界の研究レベルを十分に認識したうえで自分たちはトップレベルを走っているとの強い自信を持っている。

ただし、米国にトランプ政権が登場して以降、この協力・交流関係に暗雲が漂っている。現在、米国大統領はトランプからバイデンに交代したが、状況はさらに悪化している。科学技術面だけで考えると双方にメリットのある米中間の交流であり、中国はもちろん米国の関係者にもこれを断ち切ることに強い反発が見られる。しかし現在の米国での議論は、単なる科学技術の問題を超えてグローバルな覇権争いの様相を呈していることを考えると、中国の科学技術政策にも甚大な影響が出ることを覚悟する必要があろう。

第七章　ポストコロナ時代の中国における DX
（デジタルトランスフォーメーション）

古林将一（華鐘コンサルタント　SHIS・SHTC 総経理）

はじめに

　2020 年 12 月末の時点で、新型コロナウイルスの感染者は世界で 8000 万人を超え、なかなか収束の様相が見えてこない。3 月 20 日頃までは世界で一番感染者が多い国であった中国だが、それ以降、感染者は 9 万人台半ばを維持している。対して、今や世界で一番感染者が多い国となったアメリカでは、3 月 20 日の約 1.94 万人から約 1900 万人に増え、その差は約 980 倍である。そして、感染対策はしないと政府が公言したブラジルは、3 月 20 日時点では 793 人だった感染者数が、7 か月半の期間で、およそ 9672 倍の約 767 万人まで大幅に増加し、世界で二番目の感染者数となった（共に 2020 年 12 月 30 日時点）。

　感染の拡大により、各国で緊急事態宣言の発令やロックダウンなどの措置がとられ、人々の生活や経済活動に多大な影響が及んだ。「感染拡大を防止しながら経済活動を元に戻す」ことが各国での喫緊の課題となったが、中国では IT 技術を駆使してこの難題に取り組んだ結果、5 月の労働節からはオンラインとオフラインを融合した様々な大規模イベントなど、アフターコロナ対策としての経済活動ができるまでとなった。

　私はコロナウイルスが蔓延し始めた 2020 年元旦の時も、中

国武漢市のロックダウンを開始した春節休暇も日本には戻らず、上海に留まった。本稿では、中国が、いかにITが持つ力を駆使してウイルス蔓延を抑制し、経済活動再開を実現したのかについて、自らの体験も踏まえてお伝え致したい。

人の行動が「追跡可能」であること

　新型コロナウイルスは感染力が強く、潜伏期間が長いという特徴がある。そのような特徴を持つウイルスを抑え込むためには、すでに感染してしまった人の行動履歴とその人と接触した可能性がある人を、個人の自主性には頼らずシステマティックに「情報収集」を実行し「追跡可能」にすることこそが、有益で正確なビッグデータの構築を実現させ、それを的確に応用することによって感染拡大防止に一番効力を発揮する。陽性反応が出た感染者を起点に、訪れたことがある「場所」、その「時間」、感染者と濃密に「接触した人」をシステム上でいち早く特定し、早急に検査と隔離をすることは、人による手作業ではとても間に合わない。ましてや、各個人が自主的に登録申請しなければならないなどの要素が入ると、その精度はたちまち下がり、機能しなくなる。

　日本でもスマートフォンにインストールされているiOSとAndroidにBluetoothを利用した接触者追跡アプリが開発できるようAPI（開発者向けツール）が提供されたが、このシステムではすべての感染者と濃厚接触者を高い精度で追跡するのは難しいかもしれない。というのは、このシステムでは接触履歴を記録することしかできず、感染した人もしくは発熱した各個人の自主的な申請に依存せざるを得ない部分が残ると共に、

スマートフォンのBluetooth機能を必ずオンにしておかなければならないからだ。各個人による自主的な申請の曖昧さについてはここでは触れないが、スマートフォンの電池節約のために多くの人がBluetoothをオフにしている実態は、沢山の人に認識されていることと思う。

　では、中国ではどのようにして「追跡可能」なシステムを構築したのだろうか。その内容を知ることで、同時に中国のIT関連技術がどのように発展しているのかも理解することができる。以下では、この「追跡可能」なシステムに関連するいくつかの技術について簡単にご紹介する。

生活の中で人は必ず持ち歩くのが「携帯電話」

　中国では、携帯電話の本体と通信会社が発行するSIMカードが別々に売られている。携帯電話の本体はどんなものでも構わないが、日本円で2000円ほどのSIMカードは、身分証を提

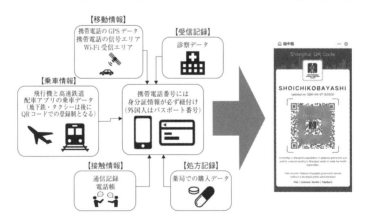

図7-1　ITで制したウイルス蔓延

示して厳密な実名認証を受けなければ購入できない。また、電子マネーが普及している中国では財布を持って出かける必要がまったくなく、すべてスマートフォンを使ってお金を払うことが可能で、一つの電話番号につき、身分証番号（我々外国人はパスポート番号）や同じく実名認証が必要な銀行口座情報、クレジットカード番号などが紐付けられている。また、中国国内のインターネット利用人口約9億4000万人のうち、99％以上にあたる人が、スマートフォンなどの携帯端末を使用してインターネットに接続している（日本は約60％）。ここに乗車情報、移動情報、接触情報、受診情報、処方記録などが集約される。

　中国で飛行機や高速鉄道のチケットを買う場合は、国内線であっても必ず身分証（我々外国人はパスポート）情報の登録が必要なので、この二つの乗車記録は自動的に携帯電話の情報とリンクする。また、配車アプリや交通アプリ、電子化された交通カードを使用した場合もアプリから乗車情報が取得可能だが、地下鉄やバス、流しのタクシーなどの公共交通機関を従来の非電子交通カードもしくは現金で使用して利用した場合には乗車情報が記録されない。しかし、これは後にアリペイなどの乗車QRコード（図7-2）が導入され、乗車時に登録することでカバーされた。

　移動情報は、携帯電話の電波とWi-fiの電波をどこの電波設備で受信したのかで判断できる位置情報や、携帯電話での衛星信号受信による位置情報

図7-2　地下鉄やタクシー乗車時に使用したQRコード

によって集約される。これは後述するが、中国の衛星信号の精度は飛躍的に向上しており、今は相当の精度で場所を特定できる。この情報に携帯電話による通話記録や電話帳情報、SNSでの通信記録や病院での受診記録などを掛け合わせたものが感染者や感染疑義者との接触情報となり、濃厚接触者の大多数を詳細に追跡可能とした。また、これだけでは発熱しても病院に行かなかった人などのマークができないため、のちに薬局で薬を購入する場合は電話番号の登録、すなわち実名登録が必要となり、これが個人に対する薬の処方記録となった。

　これらの情報すべてを統合して個人の感染リスクが判断され、その結果が「緑＝低リスク」、「黄＝中リスク」、「赤＝高リスク」として表示される「健康 QR コード」（※図 7-1 中の右側、緑の QR コード）が開発された。このコードは、アリババの本拠地・杭州市がある浙江省から使用され始めた。のちに各地版として改良され、現在でも全国の様々な場所で利用されている。同じように国内外の場所も高中低の３つにリスク分けをし、その場所を訪れた場合はコードの色が変わるよう設計されている。運用開始当初は相当厳密に設定されており、隣の市に行っても黄色に変わるような現象が多数聞かれたが、時間を経て実用性が高くなるよう調整され、今では正確な色を表示できるようになっている。また、当時緑コードの人は行動自由、黄色コードの人は７日間自宅での隔離後さらに７日間他の感染リスクが増えない場合緑コードに戻る、赤コードは 14 日間の強制隔離を終了後、さらに 14 日間以内に他の感染リスクが増えない場合に緑コードに戻る設定となっていた。

　また、携帯電話の通信会社三社は、移動情報のビッグデータ

図 7-3　疫情防控行程諮詢アプリ診断結果画面

を集約し、過去 2 週間の滞在履歴を証明できる「疫情防控行程諮詢アプリ（図 7-3)」を開発した。これにより、中国国内の携帯電話番号があれば過去 2 週間にどの場所に居たかを証明することができる。2020 年 11 月には上海でも 7 人の感染者が確認された。浦東空港の倉庫に勤務する人が、海外から来た荷物に触れるなどの理由で感染したとされていたが、このような場合も自国内での感染とされ、海外からの入国者ではなく自国内での感染者が発生した地域は赤色で表示される設定となっている（図 7-3 中の緑色コードは 2020 年 11 月現在筆者自身のもの）。

　この健康 QR コードには海外版もある。微信（WeChat）上で登録後、14 日間、毎日体調や体温を記録することで、海外に居ながら現在の健康状態を QR コードに表示することが可能になる。ウイルス抑制管理期間中に中国へ帰国する中国人は、入国時にこの QR コードを表示することが義務付けられており、帰国日前 14 日間は毎日健康状態をアプリ上に記録する必要があったようだ。

中国はこのように様々な情報をアプリに集結させ、AIによってリスク診断することにより、できうる限り感染リスクを減らし国内での感染蔓延を防いだ。日本では個人情報の提供と利用について問題になることが多いが、実際に中国で生活し、この健康QRコードを使用している私が感じるのは、自分の個人情報をプラットフォーム側に提供するかわりに、安全で便利な生活を享受できるという交易の基本であるギブアンドテイクが成立しているということだ。膨大なデータを分析し生活が便利になるインフラやアプリケーションなどを開発することも大変な労力と知識、技術を必要とするので、とても個人では実現できない。ましてや膨大なデータを得て作り上げたものがまったく役に立たない、便利にならないものであれば市場からの糾弾は免れない。ここ中国では様々な高科技（中国語でハイテクの意味）企業で作り出され市場に出てきたものを、トライ＆エラーを繰り返して消費者と共により良いものに仕上げていく。これが今の中国市場が高速で発展している理由であり、中国式のDX（デジタルトランスフォーメーション）の土台になっているといえる。

疫病管理システムを実現させた技術

　今では生活上必要になっており私自身もいつも使用しているこれらのQRコードだが、アプリのみの開発だけではここまで迅速に正確な結果を出せるものにはなり得なかったはずだ。大量にあるデータが正確であり、迅速に集約され的確に分析されたうえで皆が分かりやすい形で可視化できてこそ、初めて実現可能となるこのシステム。関連する技術はどうなっているのだ

ろうか。ここでは、コロナウイルス発生前から中国が重要インフラとして建設を推進していた通信速度に関わる「5G」、米国や日本と違い他国と共同ではなく自国のみで開発をしてきた宇宙産業のひとつ、正確な位置情報に関わる「測位衛星」について、中国の状況を簡単にお伝えしたい。

次世代通信「5G」

　新型コロナウイルスのクラスターが発生する前に5G通信機器大手のファーウェイは、武漢市に通信設備設置チームを派遣し、新時代の医療通信ネットワークを完成させており、これが感染者に対する医者のオンライン診察や、親族とのオンライン面会、CT画像の転送や大量の映像処理などに幅広く使用された。

　現在、中国の5G加入者は2億人をゆうに超え、世界で一番多い国となった。国内に設置された5G用通信設備は全部で77万基を超え（2020年12月現在）、今年中に100万基近くを設置予定としており、全世界の5G接続数のおよそ70％が中国での接続となるようだ。それでも国土が広く人口が多い中国での人口カバー率を100％近くにするのは10年かけても相当困難であろうというのが市場の見方である。電波を必要とする人がどれくらいいるのかは不明だが、チョモランマ（エベレスト）の頂上にも5G通信塔を設置したことは中国国内でも大きなニュースとなった。

　5Gの電波には、4Gの設備を一部利用したNSA方式と、5G専用の設備のみを使用するSA方式があるが、現時点での設備はほとんどがNSA方式での展開となっているため、5Gが

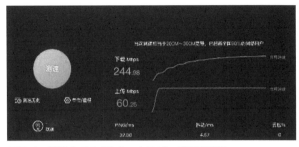

図7-4　弊社内での5Gネットスピード測定結果

本来持っているすべての性能を100%は発揮できない。現在の5G回線平均速度は、アップロードが4Gの約4倍、ダウンロードが約10倍ほどである。弊社内にも5G回線があり、速度テストを実施（図7-4）したが、結果は、発表されている速度とほぼ同等のものだった。

　通信会社各社はすでにSA機材の調達を終え2020年11月には中国電信よりSAによる5G回線サービス提供が開始された。従って2021年はSA方式の5G通信がスタンダードになると見込まれる。このSA方式で5G信号を飛ばせるようになれば、通信速度も相当早くなり送信できるデータ量も多くなるため、様々なビジネスでの活用が期待される。2021年から2022年にかけてはAI認識や高画質動画配信などで、2023年以降は5G低遅延の特性を活かした自動運転などが急速に発展するであろうと予測されている。

　5Gの周波数にも注目する必要がある。5Gの電波は一般的にsub6といわれるものとミリ波といわれるものがある。周波数が低いものは電波が遠くまで飛ぶが通信速度が遅く、周波数が高いものは飛ぶ距離が短いものの通信速度が速いという特性が

ある。ミリ波の周波数は sub6 のそれより高く通信速度が相当早くなるが、電波到達距離が短く建物などの障害物に対しての貫通力も強くないため、大量の基地局を設置しなければならない。また、すでにその国の軍が使用しているなど干渉の問題もあり、完全な展開には様々な課題を抱えているのが現状だ。

　基地局の問題を抱えずに比較的早く展開できるのが工業インターネット通信（日本ではローカル 5G と呼ばれることが多いようだ）という、工場内や開発区内のみといった特定の地域だけで展開される 5G 回線網である。中国ではこの工業インターネット通信を利用して地下深い場所で作業する必要がある炭鉱内の切削機や、ラフタークレーンなど非常に高い場所で作業する必要がある機器を遠隔で操作することによって、今まで現場に行って操作していた手間や、作業員一人で一台しか操作できなかった作業性を、一人の操作員で同時に複数台を管理できるようになるなど、現場での作業効率を上げることに役立っている。

　完全な形にするには時間と費用がかかる 5G ではあるが、この完全な 5G 回線が普及することによって IoT や AI、ビッグデータなど、通信速度と大量のデータ送受信を必要としている様々な IT 業界に革新をもたらすことは間違いないだろう。

正確な位置情報のための衛星

　中国の測位衛星は「北斗」という名称で地球上空を周回している。その数 55 基と、アメリカの測位衛星である GPS31 基を大きく上回る。北斗は 1 号・2 号・3 号衛星から構成されており、2020 年 6 月 23 日に最後の衛星打ち上げに成功したことに

より、1994年から自国のみで始めたこの位置衛星プロジェクトが完成した。現在は数ミリメートル単位での位置情報の発信が可能となっているこの北斗システムだが、前述した個人の位置情報に関わる部分以外にも、新型コロナウイルス蔓延を防ぐために様々な場所で利用された。

例えば、武漢市に1000人以上の収容が可能な臨時病院を10日間ほどで建ててしまったことは日本でも報道された有名なニュースだが、「北斗」からの位置情報は、建物建築前の測量に利用されただけでなく、消毒液散布や緊急医療物資運搬用のドローン、疫病センターから各病院まで物資を運ぶ自動配送ロボットの運行や外地から資材を運ぶトラックに積まれた交通情報ナビシステムの制御など、多岐に渡り利用された。

今では色が変化するライトが搭載された数百機のドローンを同時に飛ばし、それぞれのドローンがぶつからないよう数センチメートル単位でコントロールし、空中に動く立体広告を映し出すことができるようになっており、中国国内で開催される展示会の開会式や年末年始のイベント時などで見ることができる。この数センチメートル単位でコントロールする必要があるようなドローン飛行などは、長年をかけて完成された北斗システムがあったからこそ実現されたと言える。

完成したばかりの北斗システムだが、今後はさらに正確な位置情報を発信することが可能となるため、ドローンや自動配送車での無人配送や、無人で家畜を管理する放牧などへの応用が可能となる。数ミリメートル単位で測定もできるため、地震などで少しだけ傾いた建物に対し倒壊の可能性がある旨の警告を出し、二次災害を防ぐことも可能だそうだ。また、北斗から発

信される電波を受信できるスマートフォンを持てば、将来的には広大な駐車場に停めた自分の車を右往左往して探すことも無くなるだろう。

コロナ対策で急発展した中国の DX

　コロナの蔓延は、中国のような素早い決断と力強い実行力のある政府を持つ国のみが抑制できることは、現在の感染者数を見れば一目瞭然だ。私はコロナウイルス発生前から現在までずっと中国で生活しているため、このコロナウイルスに関しては中国がいかに厳しく対応し、また、その成果もあっていかに安全に生活できているか身をもって感じている。

　発生直後は各住民区などで外出規制がしかれ、普段は一週間ほどの休暇である春節は、政府の決断により二週間ほどに延長され、各オフィスビルやショッピングモールなども閉鎖し、人と人の接触を減らしてクラスターを防止するという徹底ぶりだった。生活環境が政府の指導により強制的に変化させられたわけだが、国民はそれを黙って受け入れ、ただ従うだけで毎日を過ごしていたわけではない。日本を含めた他の国と中国が大きく違うと感じたところは、コロナ対策のために生活に大きな変化が生じても、民衆はそれを批判したり補償を求める声を上げたりする方向に走ったのではなく、定年退職後のボランティアが大勢出動して、人々の出入りや体温チェックを始めて、自分たちの居住エリアを自分たちで守ろうとしたところだ。困難に直面してうろたえるのではなく、いかに早くこの変化を受け入れ、新しい生活を始めることができるようにするのかを、ものすごいスピードでのトライ＆エラーを繰り返し、実際に使え

るステージにまで持っていった発想力と実行力が、コロナウイルスの蔓延を防いだと感じている。

　ここではウイルス対策の強権によって、様々な制約が生活上生じた中国だからこそ急速に発展したDX（デジタルトランスフォーメーション）をいくつかご紹介する。

大量のデータを必要とするAI

　巷でよく聞かれる「AI」であるが、大量のデータを分析することによって有益な解を出すものであるため、自ら考え新しいものを生み出すことはできない。今回のコロナウイルスは肺炎の症状が出るものだったため、大量の肺炎患者のレントゲン写真を分析することによって人では数十分かかる診断を数十秒で完了することができるようになった。もしコロナウイルスがまったく新しい未知の症状であった場合は、このAIによって診断結果を出すことはまだまだ先でしか実現しなかったかもしれない。このAIによるレントゲン画像診断だが、肺がん診断では5㎜以下の結節発見率が94％（人による診断では77.6％）5㎜以上の結節発見率は99.7％（人による診断95.3％）と、人による判断の正確性をすでに上回っている。

　病院への支援物資運搬時に役立つ渋滞予測や物資供給量予測などにも積極的に応用され、中国のAIは各段に成長していった。AIは大量の分析可能なデータがあってこそ効果を発揮するという面では、人口が多いうえに個人情報の取得が他国より比較的容易であるといった環境がより技術の発展に寄与した部分が大きいだろう。

　現在ではオンライン医療での初診や、コールセンターでの初

動対応、スマートシティでの渋滞解消など様々な分野でAIが活躍している。中国のコールセンターや問診電話などは、音声であってもそれがAIであることを意識していないと実際の人間と区別するのが難しいほどだ。

中国では「次世代AI発展計画」が発表され、2030年にはAI分野で世界のトップに立つ目標を掲げている。官民一体となって取り組むこの計画は、医療分野ではテンセント、スマートシティ分野ではアリババ、自動運転分野では百度、音声認識分野ではiFLYTEKが政府から指名され、各社が各専門分野のリード役となり開発に取り組んでいる。ちなみに中国でも日本でも、数年後にはAI関連の技術者が市場の需要に対し相当数足りなくなると予想されている。これから様々な分野で応用されるAI。今後AI関連の技術を持つ人は各方面から求められる人材となりそうだ。

オンラインによる様々な配信

外出規制とオフィスビルや商業ビル、学校の閉鎖に伴い人々は遠隔での交流を余儀なくされた。アリババのDingTalk、テンセントの企業版微信であるテンセントミーティングなどは、比較的早くから数百人でのオンライン会議が可能なサービスを無料で提供し始めていた。2020年度は上海の日本人小学校もオンライン授業でアリババのDingTalkを使用していた（2021年度はGoogleのTeamsを使用）。中国国内の学校は日本人学校や他のインターナショナルスクールに比べオンライン授業への対応が素晴らしく早く、春節明けの2月中旬には開始していた。先生方は自らオンライン授業配信用のワンルームマンショ

ンを借り、円滑な授業配信をするために配信用のメインPCと
カメラ、予備配信用の携帯と学生からどのように見えているか
確認するためのもう一台の携帯などをたった数週間の間に準備
したようだ。中国では一番大事な休暇である春節の際も休むこ
とができなかっただろう。また、中国のテレビは基本的にネッ
トテレビなので、専用のPCやアプリケーションがなくとも自
宅のテレビでもオンライン授業を見ることができた。中国政府
も教育には力を入れており、オンライン化によりパケット代が
払えない家庭にはパケット通信費用などを支給し、「授業は無
くとも学びは止めない」を合言葉に官民一体となって子どもの
教育を支えた。

　商業ビルの閉鎖によって実店舗には客が来なくなったわけ
だが、店舗側もすぐにオンライン動画で自社の商品の紹介が
できるライブコマースに対応した。中国では日本のように
YouTubeやFacebookが使用できないため、微信などのよう
な純国産SNSやTikTokのような純国産動画配信プラット
フォームが使用されている。これを中国国内の企業を成長させ
るための国策と見る人が多いようだが、結果的には市場に好循
環をもたらしていると私は見ている。中国企業が開発するため
中国人の好みをよく理解しているため、デザインや操作性など
にそれが良くあらわれており、親しみやすく使いやすいと感じ
る国内ユーザーを取り込みやすいという強みがある。また、自
国内企業のみの連携は外国企業とのそれよりもはるかに実現し
やすいため、SNSと動画配信プラットフォーム間でユーザー
データを共有することにより、その商品に興味を持ちそうな人
へ優先的に配信することが可能となっている。米国企業である

YouTube や Facebook との連携も不可能ではないが、自国内企業のみで実施するよりははるかに障害も多く、それぞれの国の習慣や好みが異なるため市場に浸透するには相当の時間がかかるか失敗することになるだろう。

　動画撮影や編集などはまったくの素人である人々がオンラインでのセールスを突然始めたため、開始当初はライブでの配信がすでに始まっているのにカメラの前に人がいない状態が映し出されていたり、ライバーが何を言っているか聞き取れなかったりなど、ぎこちなさが丸見えのライブコマースだったが、各店舗の従業員やメーカーの社長が自ら出演し失敗を繰り返しながらも様々な工夫をこらすことで、今では人々が時間のある時に何となく見る娯楽番組といってよいほど市場に浸透している。

無人倉庫と無人配送

　外出規制は仕事や学校以外に、食生活にも影響を及ぼした。沢山の人が自宅で過ごすことになり自炊をする人が増え、出前を注文する人も増えた。また、生活用品もネットで注文する人が増えたため、扱う荷物の総量が増えた物流業界は大きな変革を迫られた。従来の荷物の仕分けや配送では、圧倒的に増えた物流量に耐えられず遅延や誤配送などが頻繁に生じてしまうことに加え、倉庫という場所の性質上どうしても人が密になってしまうことが原因だ。

　2018 年、日本全国での一年間の宅配量は約 43 億個だったそうだが、中国ではまもなく一日の宅配量が 10 億個を超えると言われている。ちなみに日本でもよく知られる 11 月 11 日の「独身の日セール」では、11 月 1 日から 11 月 11 日の 10 日間

における中国全土での宅配量は39億6500万個、アリババ一社だけでも11月11日の一日で6億7500万個もの荷物を配送している。また、24時間以内に発送完了した割合はおよそ9割と驚異的なスピードで処理している。アリババの倉庫内には自動で荷物を運ぶ大量のAGV（Automatic Guided Vehicle）が縦横無尽に走っており、工場内の仕分け担当のもとへ配るようになっている。そのため人は動く必要がなく、その場に留まり荷物の仕分け作業に集中することで、素早い作業が可能となっているのだ。EC業界国内第2位の京東の倉庫も同様に無人化が進んでいる。

　また、アリババ本社の構内やその付近の大学構内では、無人配送車が走行している。構内の配送センターで荷物が無人配送車に積まれたあと、各棟へ自動運転で運ぶ。各棟の門に到着すると無人配送車は受取人に電話もしくはSMSで到着を知らせ、荷物を取りに来るよう促す。受取人は携帯に示されるコードを無人配送車にあるパネルに打ち込めば荷物が格納されているドアが開くので、荷物を受け取れば完了する流れとなっている。そのほかに郊外ではドローンによる無人配送も試験的に導入されている。

大量のデータを扱うデータセンター

　今後、あらゆる方面のあらゆるデータが重要になる時代になるはずだ。まさにデータこそが時代を切り開くエネルギーの源泉になると言ってもいいだろう。SNSから取得される情報、Webページ上などから収集される情報、様々なセンサーが開発されIoTとしてそこから得られる情報、自動運転中に得ら

れる様々な情報など、今後世の中はデータで溢れる。データは物のように手に取ることができないが、それを保存や分析をするために格納するための場所は必要とする。それがデータセンターだ。

中国のデータセンターは2019年末時点で7万4000か所もあり、この拠点数は全世界の23％に相当する。アリババはアリクラウドと称してクラウドサービスを提供しているが、これは同じく2019年末時点で中国市場の46.4％を占有しており、業界トップとなっている。そのアリババが展開する11月11日「独身の日セール」だが、日本では一日での売上額ばかりが報道される傾向があるように思う。しかしながら一番注目すべきは、一日で相当数集中してしまう注文データを受けたとしても、アリババのサーバーはダウンしないというところだと思う。アリババのデータセンターも無人化が進んでおり、交換が必要なハードディスクはロボットが自動で交換をするが、それにかかる時間はたった4分だそうだ。また、これだけのデータを扱うデータセンターはその電力消費量と発熱が問題になるが、アリババは電気を通さない水を使用してサーバーを直接冷却することで、冷却にかかる電力を減らし発熱を抑えるといった方法を取っている。

ここに集められたデータを分析することにより、需要量の動向などに留まらず消費者のニーズについてもメーカー側に対し新商品開発のためのデータとして提供している。アリババの創始者ジャック・マーは、「今までは1時間で数千着の服を生産できる工場が求められたが、今後は1時間で数千種類の服を作ることができる工場が求められる」と発言している。膨大な

データを分析し消費者が真に求めるものを推測、それを市場に素早く提供することこそが、第4次産業革命中のポストコロナ市場を生き抜く術であるといえるだろう。

さいごに

　最新の技術や電子機器、IT 関連の会社などは、私自身が好きで調べたり訪問したりするのだが、中国の各技術やシステムなどを知れば知るほど、その技術のレベルや発想に驚かされる。また、様々な新技術を知れば知るほど、中国という国全体が目指している方向に各政府部門や民間企業が一丸となって技術開発に勤しんでいるのがよく分かる。

　中国で実施されたコロナウイルス対策のすべてが日本の参考になるわけではないかもしれない。しかしながら部分的にでも応用や参考にすることで、より効果的な対策がより早く施せるのではないだろうか。新型コロナウイルスは世界的に甚大な被害をもたらしたが、国や場所を問わずウイルスによる被害を最小限に抑えるために尽力された医療関係者とその周辺を支えた方々には心から敬意を表したい。また、それを乗り越えるために対応した各業界、そして私自身も、この時期に得た知見が今後必ず各方面で役立つ日が来ると信じている。

第八章　未来を切り開く
――若者はいかに AI と友になるか

程　子学（会津大学教授）

はじめに

　私のバックグラウンドを理解してもらうため、自己紹介から始めたい。私は、中国東北部の黒竜江省のハルピンで生まれた。1993 年、会津大学に赴任した。後に東京大学の総長にもなった会津藩士の山川健次郎先生を尊敬し、白虎隊の学び舎の会津藩校日新館を 30 回も見学・訪問し、日新館の文武両道の精神を活かして、現在は本大学で現代版のベンチャー体験工房「会津 IT 日新館」で教育を行っている。

　本日は、四つの話題に触れたい。
・AI による生活の変化
・私たちと AI の関係
・いかに AI と友になるのか
・AI がもたらすアジアの未来

I　AI による生活の変化

身近になった AI

　近年、AI は一つの波になっている。ここには良い変化と悪い変化がある。

例えば、囲碁は人間の作り出したゲームの中でも最も複雑な
ゲームの一つであるが、先日、AIはプロの最強の囲碁棋士と
対戦し勝った。これは世の中にショックを与えた。また制御
系AIもあらわれ、車の自動運転がまもなく実現しようとして
いる。さらに、高層ビルのエレベーターがなかなか来ない時、
皆さんはイライラすることがあると思う。そういった場合も、
AIがデータを分析して、どの階にどういうタイミングで昇降
すれば、混雑を回避できるかを計算し、利用者の満足度を高め
ている。

　学生の実験であるが、常にじゃんけんに勝つことができる
AIロボットもある。人間がどの手を出したのか、画像を瞬時
に認識・判断し、それに勝つ手を出すのだ。後出しじゃないか
と言われそうだが、確かに、現段階ではそうかもしれない。し
かし、将来的には、その人の癖を把握して、次は何を出すかを
予測できるようになるだろう。100％は勝てないかもしれない
が、かなりの確率でAIは人間の行動を予測し勝てるようにな
る。

　じゃんけんは、グー・チョキ・パーと三種類のジェスチャー
から成るが、いろいろな指や手のジェスチャーに応じて、決ま
りを作っておけば、AIロボットは決まりどおりに前進したり、
後退したり、右に曲がったりすることができる。

　将来的には、ロボットが手話を理解するようになるであろう。
じゃんけんより難しい指の動きを理解できるようになるという
ことである。手話にはかなり複雑な動きもあるので、すべてを
理解はできないかもしれないが、ある程度までは把握できるは
ずだ。

車の自動運転も、以前はぼんやりとした理解しかできなかっ
たが、進化していった。

　将来的には AI が何かを作り出すことも可能になる。例えば、
人間が何かスケッチを描く。それを AI ロボットに見せれば、
そのスケッチに基づいた絵を描くことができる。これは何かの
デザインする時などに役立つだろう。

　人間の仕事での動作などを AI ロボットに教えることで、人
間が入れない危険な場所、例えば、放射能がたまっていると
ころなどに入って作業することもできる。

スマートミラーは、カウンセラーになる

　スマートミラーをご存知だろうか。㈱ Novera というベン
チャー企業が開発したものである。会津大学の卒業生が立ち上
げた企業である。鏡に向かうと、鏡と対話ができるシステムで
ある。つまり、AI ミラー。人間の皮膚のビッグデータが入っ
ていて、顔を見て、化粧のポイントを助言してくれる。そのほ
か、疲れているかどうかなどの心の状態の判断をしたり、相談

図 8-1　スマートミラー
出典：㈱ Novera ホームページ。https://www.novera.co.jp/

にものったりしてくれる。つまり、スマートミラーには、顔と肌に加えて心も映っている。イメージであるが、以下のような対話が可能になるであろう（図 8-1）。

例①

女性　　　「おはよう」

AI ミラー　「おはようございます。いい朝ですね」

女性　　　「そうだね」

AI ミラー　「キミの瞳って大きくて、見つめられるとドキドキする」

女性　　　「ありがとう。じゃあ行ってくるね」

AI ミラー　「いってらっしゃい」

例②

AI ミラー　「こんばんは。今日はもう眠れそう？睡眠時間は削らないようにね」

女性　　　「ありがとう。ねぇ、肌どうかなあ」

AI ミラー　「うん、今日もとっても調子が良さそうだね」

女性　　　「良かった、じゃあそろそろ寝るね。おやすみ」

AI ミラー　「おやすみなさい。素敵ないい夢を見てね」

例③

女性　　　「おすすめの名画あるかな」

AI ミラー　「こういうのはどうかな。ねえねえ、キ
　　　　　　　　ミは休日をどう過ごすのかな。ぼくは映
　　　　　　　　画を見たりするんだけれど」
　　女性　　　「私はショッピングが多いかな。ライトつ
　　　　　　　　けて」
　　AI ミラー　「了解」
　　女性　　　「今週の私、どんな感じだったかな」
　　AI ミラー　「普段より口角が上がって、素敵な笑顔
　　　　　　　　だったと思うよ。いつも思うけれど、き
　　　　　　　　れいな横顔だよね」
　　女性　　　「もうそれ、本気で言ってるの？」

　＊上記の会話は、㈱Novera のコンセプトムービーより抜粋

　いかがだろうか。以上はイメージだが、実際はスマートミラー「novera」といった商品名で、人間の顔診断、顔の画像を診断してくれるというものだ。中にはスマートミラーがあればボーイフレンドなんていらなくなると指摘する男性もいるだろうが、女性は歓迎するであろう。

ＡＩは人間の仕事をどこまで代行できるか？
　突然だが、クイズを出そうと思う。
①支払い
②翻訳、通訳
③運転
④手術
　この四つの中で、AI が代行できるものはどれか。この場合

の支払いとは、自動での顔認識だけで銀行の口座から引き落としができるというものである。

　よく聞くのが、「支払いと翻訳はできる、運転や手術は少し怖い」という答えである。これは、やれないということではなく、やってほしくない、ということで、つまり「怖い」「任せられない」ということだろう。支払いにしても、自動での顔認証で支払われてしまう怖さがあると思うが、運転や手術については「信用できない」という意味で任せ難いのではないかと思う。なるほどと思った。とっても良い答えである。

　手術は代行できないと言う人からは、「手術は何が起きるかわからない。プログラムされていないことが起きたらどうなるのか？　AIがすぐに対応できるか？」という疑問があがった。手術は自動運転に比べて、やることが複雑で、危険性が高い。確かに、これは将来的にも無理だということになるだろう。

　一方、「全部可能だと思う」という回答が出ることもある。どこまで可能かが分からないために恐怖はあるが、できたらいいなという思いもある、という答えだ。確かに、AIにできることは大筋ではわかっているのだが、その詳細については、未だブラックボックスである。

　先述の囲碁についても、プロ棋士には勝ったけれど、どうして勝てたのか分からないところがある。分からないとはつまり、人間が考えもしないことをやっているかもしれないのだ。将来、AIが人間の知能を超えてしまったら、人間が気づかない悪事を働くかもしれない。以上から、すべてをAIにやってもらうというのは大きな問題である。

Ⅱ　私たちと AI の関係

　人間には、基本的に九つの能力があると言われている。自然的、音楽的、論理的・数学的、実存的、対人的、身体的・運動感覚的、個人的、空間的能力である。他にもあるのかもしれないが、まとめてみるとこれらに集約できるのではということだ。

　このうち、音楽的才能は AI も得意である。数年前、紅白歌合戦で AI 技術を活用し、故・美空ひばりさんが新曲を歌った。AI だからできたことである。また、数学も得意であるほか、人間の感情を分析し、理解できる優しいロボット AI も登場している。運動も、言動も、認知もできる。

　一方、人間は誰しもがなぜ生き、なぜ死ぬのかという疑問を持っているが、AI はこれを共有できていない。人間の持つ個人的な感情や欲求も理解していない。先ほどあげたスマートミラーも、完全には感情を理解できない。それ以前に、理解しようとする AI はいらないという反対意見もある。人間は自分の感情さえ理解できないのに、AI にできるはずがない、と。私も、AI は将来的にも人間の感情や欲求を理解できないのではないかと思っている。

　それでは、人間と AI の関係とは、どんなものか。

　中国の昔話に、猫と虎の話がある。虎は、猫と違って木に登ることができず、狩りも下手だった。虎は猫に「狩りの方法を教えてください」と頼んだ。猫が狩りの方法をすべて教えると、虎は猫を食べようとした。そこで、猫はすぐに木に登って逃げた。虎は猫に、「先生、なぜ木の登り方を教えてくれなかっ

たのか」と尋ねた。猫は、「もし、教えていたら私を食べたでしょう？　だから教えなくて良かった、助かった。」と答えた、という話である。日本ではあまり知られていないかもしれないが、中国では有名な話である。

　この話から、我々は何を教訓とすべきか。AIに教えてはいけない命綱は何か、ということである。猫が教えなかった木登りに匹敵することは何だろうか。

　ここで再びクイズ。AIは人間の◯◯である。

①ツール

②相棒（パートナー）

③ボス

④敵

　この四つの中で、人間とAIはどんな関係であるべきか選んでほしい。おそらく、誰もがAIをボスにしたくないであろう。敵にもなってほしくない。ということは、ツールにすぎないか、あるいは相棒かということになる。皆さんはどちらであろうか。理由も考えてほしい。

　私の周りでは、ツール（道具）にすぎないという方が多いようである。「あくまで、人間がある作業をさせるために開発したものであって、相棒ではないと思う」という意見だ。「いずれにしても"便利なもの"であって、それをコントロールするのは人間だから、ツールである。原子力と同じである」という意見もある。

　相棒だとする方の意見は、「人間が思いつかないことをアイディアとして教えてくれる。そうすると、そこから違う発想が生まれる」というものだ。これは人間もAIも互いに刺激し

あって、進化できるということである。とてもいい意見だと思った。

　ツールと相棒の中間だとする意見もあった。スマートミラーのように生活をサポートすると同時に、友だち感覚で話せるような存在になるのではないかとのことだ。

　私としては、人間とAIは相棒になってほしいと思っている。例えば、芸能人にはほとんど必ずマネージャーが付く。その場合、芸能人が人間で、マネージャーがAIといった関係になってほしい。先ほどの例では、手術をすべてAIに任せるのは危ないが、人間とAIが協力すれば、より確かな手術になるのではないだろうか。

　あと10年ぐらい経つと、平均的な大学生より、AIの方が、レベルが高くなり、2045年にはシンギュラリティ（特異点）に達すると言われている。人間が教えなくても、AIが新しいことを作り出す時代だ。AIは24時間動くことができて食べ物もいらないので、その進化のスピードは人間より速くなる。人間が負ける、あるいは人間以上というところまでいく。人間をやっつけようとするかもしれない。少なくとも人間は、AIのやることが理解不能になる。AI同士でゲームをするようになり、人間は相手にされなくなる。下手をすると、人間は鶏のようにかごの中に飼われるようになるかもしれない。

　こうした可能性はないわけではないが、人間はAIに負けないと思う。人間には長い歴史があり、そこで培ってきたものがあるからである。AIに負けないようにするためには、インターロックによる仕掛けをどのように作るかという点に帰着する。インターロックがあれば、AIは人間のコントロールの範

囲の中で発展する。スマートフォンにしても、昔の人からすれば、シンギュラリティになるような大きな変化と思われたが、これといった大変化は起きていない。人類も、この200年とその前の500万年とを比べると、爆発的な発明をしている。AIはあくまで作られたものであって、コントロールすれば人類を超えることはできない。AIが作りだしたものであっても、あくまでも人間の社会に認めてもらわなくてはならないという原則があれば、AIがAIだけで勝手に推し進めることはできない。何より、人間の理解が必要である。人間にそれができるのは、哲学や芸術、道徳観を持っているからである。知恵、文化のエッセンスを理解して、いかにAIに仕掛けられるか。これらを根底に、人間はAIを制御することができる。制御とはすなわち、人間とAIの関係をパートナー、つまり互いに理解しあい相棒にするよう仕向けることである。

Ⅲ　いかにAIと友となるのか

　まずは触れてみて使ってみる、これによって理解してみる、そして作ってみる、最後は遊んでみることを推奨する。学習して理解するのが最も大事だと思う。

　AIとは人間の知能を人工的に作ったものだ。メインの部分は、機械学習、ディープランニング（深層学習）である。AIの基本的な使い方としては、識別、予測、対話、制御の四つがある。使う前に「学習」または「トレーニング」をする必要がある。AIは、入力層、出力層、中間層で構成されている。入力層は、取り込んだ画像データの色を、赤、緑、青の三原色を

使って数字で表現する。例えば猫の画像を入れると、入力層はその色の具合を判断する。深さ、濃さによって数字が変わる。出力層は、これは犬ではなく猫だという判断をする。そのために、真ん中に様々なフィルターがある。フィルターは、エッジのあるところを検知し、ここは毛だ、ここは眉毛だと、だんだん絞っていく。同時にだんだん大きな輪郭となり、ここは目だ、顔だと認識していく。何回もやると、認識される対象が出てくる。猫なのに間違って犬だと認識することもある。この間違いを小さくするために、逆の学習をさせる。フィルターのレートを、猫が出るように調整するのだ。一枚、一枚調整していくと、かなりの精度で、ほぼ認識できるようになる。

今、様々な AI 開発ツール・環境が提供されている。プログラミングを知らなくとも、簡単なドラッグ＆ドロップで AI プログラミングができるということである（参考：ソニー Neural Network Console https://dl.sony.com/ja/）。これは、10 分ほどで体験できる。例えば 4 と 9 の数字のデータを 1500 ほど用意する。これを、4 なのか 9 なのか、正確に認識させる。

図 8-2　Sony Neural Network Console の実行画面

これは実際、郵便番号を把握する時に、読みにくい数字も含めての認識に使われる。この体験だけでもすれば、AIとの距離を縮めることができる。

AIで遊んでみるとはどういうことか。簡単なゲーム、じゃんけんもその一つだ。あるいは、誰しもいろいろコレクションをしていると思う、アニメのキャラクターや写真。それらをAIに分類させることもできる。

さて、最後のクイズである。AIがギリギリできそうなことのアイディアを出してほしい。

この質問に対し、「写真を選別し、適切なフォルダーに入れる」という回答があった。あるいは、「宇宙開発」という答えを出してくれた人は、「人がいけないような星にAIロボットを送って、鉱物などを持って帰ってもらう」という素晴らしいアイディアもあった。どちらもとても良いと思う。

Ⅳ　AIがもたらすアジアの未来

最後にAIがもたらすアジアの未来について述べる。AIによって「なくなる仕事」が出てくる。例えば、小売店販売員、セールスマン、会計士、一般事務員などの職種。逆に、弁護士、医師、経営コンサルタントなどは残ると言われている。新しい職種も出てくる。例えば、AIコンサルタント。AI搭載の介護ロボットを購入してみたものの、使い方がよく分からないといった場合に教えてくれるのがAIコンサルタントだ。AIのメンテナンスも必要になってくるので、それをしてくれる人員。あるいは、人間とAIロボットの間を取り持つ、翻訳者が出て

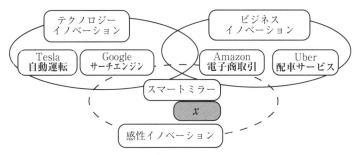

図8-3　イノベーションのタイプ

くるかもしれない。

　これからの時代は、感性が重要視されると思う。これまでは、イノベーション、技術革新がメインであった。Amazonが成長したのは、技術革新より売り方の技術に長けていたからである。これは、いわゆるビジネスモデルのイノベーションであった。技術のイノベーションとビジネスモデルイノベーションに加えて、日本発の感性で世の中を魅了する感性イノベーションは、これから登場すると思う（図8-3）[1]。スマートミラーも、この点を狙っている。これから日本が生み出す感性イノベーションが世界へ広がることを期待している。

　感性工学というのは、日本発の研究領域である。学会もできて、世界に広がりつつある。すでに、ヨーロッパ支部、ロシア支部ができた。これまで海外では、感情（エモーションコンピューティング）を扱っている学会はあった。しかし、雰囲気

1　椎塚久雄、SKEL椎塚感性工学研究所「新しいアイディアは推論のプロセスから生まれる：感性4.0時代におけるアフェクティブイノベーションのあり方」、『感性工学』Vol.15, No.3

や人間の距離感などを扱っている研究はなかった。日本の一番いいところを世界に発信することができたということである。また、物を作って感動を与えるというのも、日本が得意とするところである。

　会津の和菓子店長門屋に、豊かな感性を象徴するような「羊羹ファンタジア」というお菓子がある。長門屋が震災後売り出したもので、東日本大震災による風評被害もあったが、それを打ち破った。包装には「Fly Me to The Moon」を謳っている。

　これは、切り口によって、中の絵が変わる羊羹である。切っていくと、最初は三日月、次に鳥、次にその鳥が羽ばたいて、満月の中を飛んでいく。ストーリーがあり、よく工夫されている。大変人気で、一時は購入まで２か月待ちになっていた。感性価値が中身に込められているからである。やはりこれからは感性イノベーションの時代である。

　会津の日新館という江戸時代にあった藩校の掟は、「ならぬことはならぬものです」というものであった。AIに対しても、こんなことはやってはいけないという決まりは必要である。AIを、道徳観、東洋文化でコントロール、インターロックするということだ。ただ、掟だけではAIに縛りがかかり、新しいことができなくなる。イノベーションとは実は、掟破りということである。新しいことが許される、新しいタイプの掟が必要である。発展しながら新しい仕組みを作らないといけない。人間とAI（人工知能）のインターロックである。

　例えば、図8-4に示されるように、エレベーターは、ドアが閉まらなければ動かない。ロックされているわけである。条件が満たされなければ動けない。これがインターロックである。

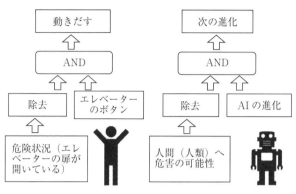

図 8-4　人類と AI のインターロック

AI も、人間の了解がなければ次のステップにいけないという
仕組みを作らなければならない。

　そのためには、AI に、東洋文化、孔子が唱えた「仁義礼智
信」を教えなくてはいけない。人間が信頼するような動きをし
なくてはいけないということである。人間を守るということで
もある。人間の文化を理解して、人間のパートナーになり、人
間と同じように行動すれば安心ではないかと思っている。

　国際コミュニケーションや、哲学、文学といったところが最
後の砦になるかと思う。例えば、東洋学園大学には「時代の変
化に応える」「国際人を育てる」「面倒見がいい」という三つの
理念があるそうだ。これは AI にも通じることだと思っている。
AI は私たちの、私たちによる、私たちのためのものでなくて
はいけない。この「私たち」のところは「人類」と言う言葉に
置き換えてもいいであろう。

ウィズコロナ時代の生き方と展望

　新型コロナウイルスが人類を襲っている。ウイルスとの戦いは長期戦になると思う。ワクチンが世界中に行き届くまで、十分に感染防止対策をとらなければならない。新しいウイルス出現の可能性もある。新型コロナウイルスから得た経験を踏まえて、経済活動、国際関係、個人の消費活動や生活などは新しいスタイルで、ウイルスがあるという前提で設計しなければならない。一方、人間の心のつながりについては、もっと密にならなければならない。国の分断、人と人の関係の分断は許されず、団結することが大事である。

　そして、常に人と人との物理的距離をキープするため、店のデザイン、街のデザイン、および住宅のデザインなどが再考される必要がある。社会全体は、もっとゆとりのある生活や活動の空間を作り、都会一極集中の社会から地方多拠点の社会へとシフトするべきである。もちろん、人と人は物理的な距離が心理的距離につながりやすい為、その点に気を付けながら、ウイルス感染の可能性を最小限に抑えることが課題となる。

　現在、人工知能はコロナウイルスの感染防止と診断等に関して様々な役割を果たしている。例えば、医療資源が不足している病院では、人工知能が医師達を補助し、CT画像等から肺炎の特徴を掴んで、診断を早めている。そして、AIによる問診システムが開発され、症状等を入力することで、感染を心配している人にアドバイスを出してくれる。また、人間同士の距離、CO_2の濃度、および、入店する客の状況から「三密」の度合いを測り、自動的に表示・警告するシステムも開発されている。

　今後、ワクチンによる感染拡大の終息を期待しつつ、理工学

の立場からは、人間が物理的に近くになっても（例えば店にいても劇場にいても）安心できるような防御服の開発を期待する。ウイルス感染防止機能の服が日常のファッションになれば、経済活動とウイルス感染防止の両立を図れるのではないかと考えている。イメージとして、人々は新しい素材によって作られた服を着て、互いに見えるし触れることができるが、飛沫は完全にシャットダウンされる。同時に新しいファッション産業が生まれることで、一つのソリューションになるのではないかと考える。

第九章　世界の食料事情と中国ファクター

阮蔚（農林中金研究所理事研究員）

はじめに

　農業問題は大変幅が広いが、本章では農業の中の食料問題、特に食料の中の主食の問題だけに絞って、その現状および中国の台頭、米中対立などから受ける影響について考えたい。

　三つのポイントで話を進めていく。一つ目のポイントは、世界の食料供給過剰問題である。二つ目のポイントは、これまでの約20年間、中国が世界の食料貿易に与えた構造変化について。三つ目は、米中対立の世界の食料貿易構造への波及、影響についてである。

　まず、世界の人々の主食となっている小麦と米について。日本人の主食は長い間米だが、世界的な主食の王様は小麦である。かつては芋類やトウモロコシ、雑穀含め多様な主食があったが、人類の発展と共に多様性は薄れ、米や小麦など数種類に絞られてしまった。

　小麦は、作付面積、生産量共に米を上回っている。小麦を主食とする人口も世界で最多である。北半球、南半球は問わず、五大陸のどこでも主食にされている。食べ方も豊富だ。欧州ではパン、中国では饅頭や麺類、日本ではうどん、イタリアではパスタ、インドではナンやチャパティなど、いろいろある。

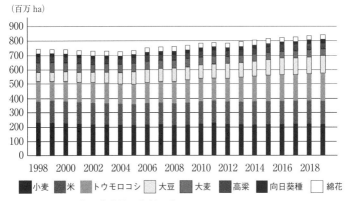

（百万 ha）

図9-1　世界の主要農産物の作付面積
出典：USDA、wind

　主食の二番手はお米である。世界の米の作付面積は 2008 年まで第 2 位だったが、2009 年に第 3 位に転落してしまった。米を主食にしているのは主にアジアである。アジアでは、生産面で特徴がある。自給自足の比率が高いことだ。零細農家が多いということが背景にある。アジアでは、米生産の多くは自家消費に回されており、米生産力の大きい一部の国を除けば、輸出量は限られている。米は過不足調整として輸出入されるが、国際貿易体制が構築されている小麦に比べると貿易取引は大幅に少ない。

　世界の主食についてひとつ理解していただきたいのは、主食穀物は、作付面積でも、生産量でも、消費量でも、ほぼピークを過ぎたことである。世界では食料不足や貧困問題があるが、食料問題と貧困問題は別問題だ。貧困問題は、世界の食料不足という意味での食料問題ではない。貧困問題とは、食料を買える十分な所得がないという所得の問題であり、その国の税制を

含む政治、経済体制の問題である。

世界の多種多様な主食

　先述の通り、かつて主食は多種多様だった。トウモロコシなどの穀物も芋類も豆類も主食として食べてきた。今でも一部の国では主食になっている。例えば、トウモロコシはメキシコの主食の一つである。トルティーヤという薄焼きパンにして食べる。アフリカでも、タンザニアやモザンビークなどの国ではトウモロコシを粉にして主食として食べている。中国では、北方地域で約35年前まではウォウォトウという名前で主食として食べていた。今でも、健康志向的にトウモロコシを雑穀としてお粥にして朝ごはんの一つとして食べている人もいる。

　また、根茎類のキャッサバも主食になっている。私は世界の食料事情を調べるため、アフリカにも行ったが、キャッサバはアフリカの主食の一つになっている。ちなみにキャッサバはとてもユニークな作物である。収穫せずに土の中で1年以上保存できるのだ。同じ根茎類のジャガイモやサツマイモ、里芋などは収穫時期に収穫しなければ発芽してしまうか、腐ってしまう。キャッサバは一年中いつでも植えることが可能で、いつでも収穫できる便利な作物である。

　キャッサバの原産地はブラジルなど熱帯ラテンアメリカである。ブラジルではキャッサバの粉とチーズで作られた「ポン・デ・ケージョ」という人気のある国民食がある。キャッサバはでんぷんの王様とも言われ、日本で一時、大ブームになったタピオカもキャッサバ粉で作られている。

　アフリカではバナナも主食だ。バナナはいろいろな種類があ

るが、デンプン含有量が高くて青色のバナナが、主食として食べられている。日本で食べている黄色のバナナとは違う品種である。

ペルーではチアシードが主食の一つになっている。チアシードは栄養価の高い穀物であり、かつてはインカ帝国の重要な主食となっていた。近年、日本では健康食品として人気になっている。

動物の主食である飼料

世界の主な食料の中で生産量が多い順位は、第1位トウモロコシ、第2位小麦、第3位米、第4位大豆となっており、これらが人類を支える四大食料である。

トウモロコシや大豆など、もともと人間の主食だったものが、今は動物の主食、いわば飼料になっている。世界の最も重要な

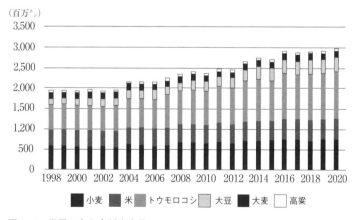

図9-2　世界の主な食料生産量
出典：USDA、wind

飼料原料は大豆とトウモロコシである。私たちが食べる肉は動物性だが、もとをたどればトウモロコシや大豆など植物だということで、肉食は間接的に農作物を消費することにもなっている。

　世界の食の高度化が進み、食肉の需要が増えている。養豚や養鶏等畜産業は、それに応えるために発展してきた。世界の豚肉、鶏肉と牛肉という三大食肉の生産量は2000年から2018年までの期間に38.7％も増加した。1キロの肉を生産するのに必要な飼料の量は、一般的に鶏肉の場合1.5〜2.0キロ、豚肉は2〜3キロ、牛肉は4〜8キロとなる。三大食肉の中で生産量が最も多いのは豚肉だが、近年、生産量が最も急速に拡大しているのは飼料効率が高く、価格が豚肉に比べて安い鶏肉だ。牛肉はあまり伸びていない。

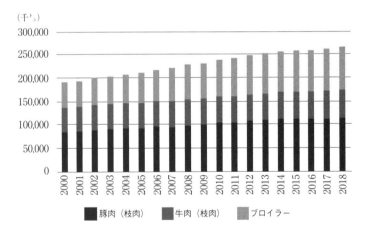

図 9-3　世界三大食肉の生産量
出典：USDA、wind

今、世界の食料の中で生産量が最も多いのは、飼料穀物としてのトウモロコシである。世界の主な作付面積の中でトウモロコシの作付面積は小麦に次いで第2位となっているが、トウモロコシの単収が小麦より高いため、生産量は小麦を越えて世界最大の穀物となっている。これは、世界の畜産業が発展していてその飼料需要が大きいからである。

　もう一つ主な飼料原料である大豆の生産量は、今世紀に入ってからの約20年間に2倍以上増えたことで、世界の主要食料の中で最も速く生産が伸びた作物となっている。

　また、私たちが主食として食べている小麦と米も、実はその一部は動物の飼料になっている。それ以外にコーリャンや大麦、キャッサバ等も飼料原料に変わっている。今、世界の食料農作物の約6割は飼料原料になっている。

世界四大食料生産と消費国──米中印伯

　世界の四大食料の生産量のうち、アメリカと中国がそれぞれ2割ずつ、インドとブラジルはそれぞれ1割ほどの生産量との構図だ。この4か国で世界四大食料の約6割を生産していることになっている。

　最近20年間で最も生産量が拡大したのはブラジルである。近年、ブラジルの四大食料生産量はインドを越えて世界第3位に躍り出た。

　ほぼ同じ量の食料を生産しているアメリカと中国だが、人口数は10億人超違う。ブラジルとインドも食料生産は同規模だが、人口はやはり10億人以上の差がある。アメリカとブラジルは国内需要を大幅に上回る食料を生産しており、余剰分は輸

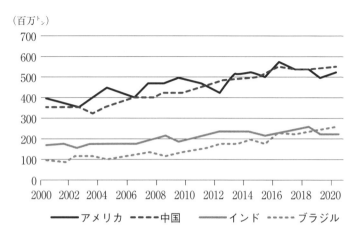

図 9-4　主要国の三大穀物と大豆の生産量

出典：USDA、ブラジル中央銀行、wind
（注）2016 年以降のブラジルの小麦と米は 2015 年のものを使用。

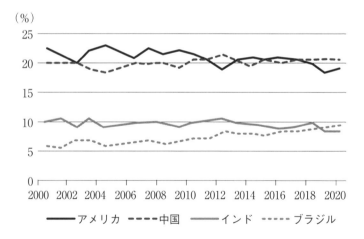

図 9-5　世界の生産量に占める割合

出典：USDA、ブラジル中央銀行、wind
（注）2016 年以降のブラジルの小麦と米は 2015 年のものを使用。

出されているということだ。アメリカとブラジルは、世界第1位と第2位の穀物と大豆の輸出国になっている。同時に、アメリカとブラジルは世界第1位と第2位の食肉輸出国でもある。

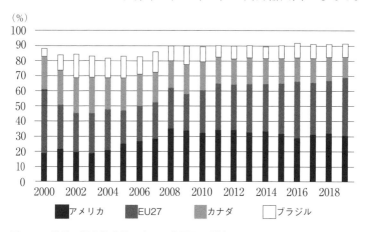

図9-6　世界の豚肉輸出量に占める主要国の割合
出典：USDA、wind

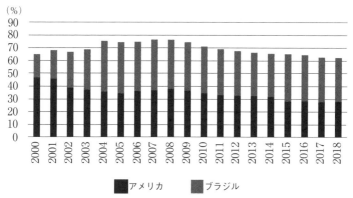

図9-7　世界の鶏肉輸出量に占める主要国の割合
出典：USDA、wind

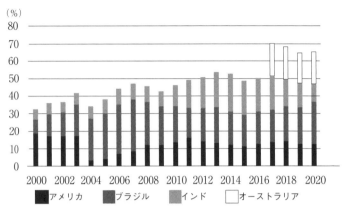

図9-8 世界の牛肉輸出量に占める主要国の割合
出典：USDA、wind

この両国を合計した鶏肉輸出は世界全体の6～7割を占めており、豚肉で5割、牛肉で3割を占めている。

中国はインドとほぼ同じ人口だが、アメリカと並ぶ世界最大の穀物生産国であると同時に、大豆等の世界最大の輸入国でも

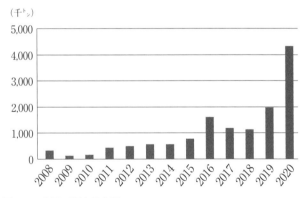

図9-9 中国の豚肉輸入量
出典：中国税関、wind

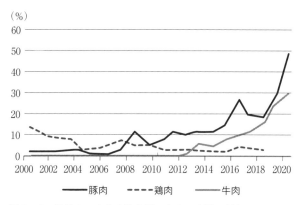

図9-10 世界の三大食肉輸入量に占める中国の割合
出典：USDA、wind

ある。また、近年、中国は世界最大の豚肉輸入国にもなっている。

2020年に中国国内の豚肉生産量は4113万トン、輸入量は420万トンとなっていることから、その輸入依存率は9.3％である。依存度は低いように見えるが、世界の豚肉貿易量の4割以上を占めている。また、中国は2020年には牛肉輸入でも世界の約3割を占めている。食肉においても中国の需要と輸入の規模は大きく、世界市場への影響はきわめて大きいのだ。

興味深いのは、ほぼ同じ人口数で中国の半分の食料しか生産していないインドは食料輸入をほとんどしておらず、自給自足できていることである。これは中国人が大量の食肉を食べる一方、インド人は食肉消費がきわめて少ないためである。

中国の食料生産の選択と集中

中国では巨大な人口に対して耕地面積が限られており、農家

一戸当たりの耕地面積は小さいという状況がある。他方、農業労働者の人件費など生産コストは上昇しており、米や小麦、トウモロコシ、大豆等土地集約的農産物のコスト競争力は近年、大きく低下している。また前述したように、同じ人口大国のインドに比べて中国は食肉需要が多いため、畜産用の飼料原料になるトウモロコシや大豆等の需要が大きいという特徴がある。

　つまり、中国の耕地面積では必要な主食穀物、及び飼料原料をすべて賄うのは困難になっているのだ。そこで、中国は1996年に大豆の輸入を自由化した。食用油や畜産飼料に必要な原料の一つを輸入に頼ることにし、大豆を栽培していた耕地を主食のコメと小麦及びもう一つの飼料穀物のトウモロコシに集中した。その後、経済の発展で人件費コストがさらに上昇したことで、トウモロコシのコスト競争力も大幅に低下したため、中国政府は2014年、トウモロコシについても一定水準まで輸

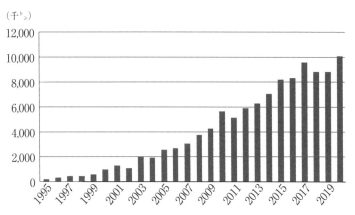

図9-11　中国の大豆輸入量
出典：中国税関、wind

入を拡大することを容認する政策に転換した。つまり、中国は国内の耕地や労働力という農業資源を主食のコメと小麦の生産に集中し、食肉用の飼料原料は輸入に依存するという選択をしたのである。

中国の輸入増による世界食料貿易構造の変化

　前述したように中国は1996年に大豆の輸入を自由化し、その輸入量を年々拡大してきた。2020年には1億トンを超えている。中国の大豆輸入の急速な拡大によって、世界の大豆貿易量はトウモロコシと第2位の座を争う農産物貿易品となった。ブラジルでは中国向けの大豆の作付面積が急速に拡大し、2013年以降、それまでトップだったアメリカを抜いて、世界最大の大豆輸出国となった。

　トウモロコシについても、中国は2014年に一定水準までの

図9-12　世界の主要穀物と大豆の輸出量
出典：USDA、wind

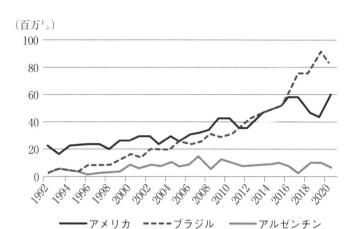

（百万トン）

図9-13　世界主要国の大豆輸出量
出典：USDA、wind

輸入拡大を容認する政策を打ち出したため、その輸入量は増加傾向となり、2020年には1130万トンと、メキシコ、日本に次ぐ世界第3位のトウモロコシ輸入国となった。中国のトウモロコシ輸入は今後さらに拡大する可能性があるが、この場合、ブラジルが主要な供給国となり、トウモロコシ輸出を拡大していくと思われる。

　アメリカと比べて、ブラジルは食料増産の余地が大きく、コスト競争力も高いといえる。中国が食料輸入を増加し、その多くをブラジルが増産して賄ったことで、ブラジルはアメリカを追い抜き、世界最大の食料輸出国になろうとしている。「アメリカ対ブラジル」の食料輸出競争は、別の視点からは「ミシシッピー川対アマゾン川」の競争でもある。これまで、北半球にあるアメリカのミシシッピー川が農産物の集荷、運搬で大きくリードしていた。ミシシッピー川河口のメキシコ湾岸の港湾

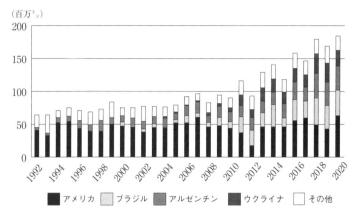

（百万㌧）

図 9-14　世界の主なトウモロコシ輸出国
出典：USDA、wind

で遠洋の大型貨物船に積み替え、パナマ運河を通って、太平洋に抜け、日本や中国などアジアに向かうという穀物輸出ルートは、これまで世界で最も競争力のあるルートとなっていた。今はブラジルのアマゾン川もインフラ整備が進み、ミシシッピー川に匹敵する輸送手段になろうとしている。これは中国にとっては有利な情勢といえる。

米中対立による食料事情への影響

　米中両国は 2020 年 1 月 15 日、中国が米国からの輸入を2017 年比で総額 2000 億ドル拡大するという合意に達した。いわゆる「第一段階の合意」である。そのうち米国からの農産物輸入の拡大分だけで 320 億ドルである。中国はそれを実行する形で、2020 年に大豆やトウモロコシ、食肉などの対米輸入を大幅に増やしたが、合意金額は達成できていない。米中対立が

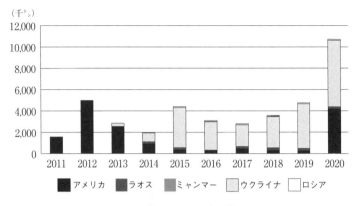

（千トン）

図9-15　中国のトウモロコシ輸入量とその主な輸入先
出典：中国税関、wind

激化する中で、中国はジレンマに直面している。トランプ政権
がファーウェイはじめ中国企業に対して先端技術の含まれた電
子部品、生産設備などの輸出を禁止したことで、中国側は米国
が様々な商品で禁輸という手段に訴えると懸念している。米中
合意は達成したが、食料で対米依存を深めることには警戒しな
ければならない。2021年1月にはバイデン政権が誕生するが、
米中対立が緩和することはあまり期待できない。

　米中対立は2018年3月に貿易紛争の形でスタートしたが、
中国はトランプ政権の課した上乗せ関税などに対抗し、大豆や
トウモロコシなどの輸入を、2018年、19年と2年連続で減ら
し、代わりにブラジルやウクライナからの輸入を増やした。中
国が今後、どのような食料安全保障政策をとるかは米中対立の
行方に左右されるが、大きく見れば中国の食料輸入先の多様化
は進み、それに伴って、世界の食料貿易構造は変化していくと
思われる。

終章　コロナ：国際関係と未来の世界への影響

朱建榮

感慨が多い選書3冊目の出版

この選書はユーラシア財団 from Asia（前「ワンアジア財団」）の支援を受けて出版した選書シリーズの3冊目である。佐藤洋治財団理事長のご好意で2015年より自分が勤める東洋学園大学でワンアジア連続講座を実施し始め、2020年度では6期目の実施になった。その間、各講座の担当講師にお願いしてテーマ別に講座内容を大幅に書き足しもしくは書き換えていただき、2017年に国際関係を中心に、『世界のパワーシフトとアジア──新しい選択が迫られる日本外交』（花伝社）を出版、続いて2019年には世界経済と科学技術を中心に、2冊目『米中貿易戦争と日本経済の突破口──「米中トゥキディデスの罠」と「一帯一路」』（同）を上梓した。シリーズ出版を引き受けてくださった花伝社の平田勝社長にも感謝を述べたい。

連続講座を始めた当初は、これが6年間も続くとは思わなかった。本学の講座は学生だけでなく社会人にも開放されるため、多くの方が遠方から本学の本郷校舎に駆け付けて、メモを取りながら真剣に聴講し、講座が終わると、このような素晴らしい内容を我々だけで聴くのがもったいないと何人もの方から礼を言われた。これは3冊目の選書を出す重要な原動力になっ

た。

　2020 年、突如巻き起こった新型コロナという台風を受け、秋学期から実施されたこの講座もオンライン方式に切り替えた。バーチャルでの授業・講義方式には苦労しながらもようやく慣れてきたが、コロナの影響は一過性のものではなく、中長期的に続くだろうとの認識が深まり、本選書も「ポストコロナの世界」を中心テーマに決めた。

　第 1 章から第 9 章までは、感染症の歴史、コロナによる米中、アジア、社会、経済、科学技術など幅広い分野への影響について各講師が忙しい中で寄稿してくださった。締めくくりの終章として、国際社会への影響を検証し、IT 社会がコロナ禍を受けて露呈された問題点についても問題提起したいと考える。

米露両国のオピニオンリーダーの分析と本音

　新型コロナは 2021 年 5 月末の時点で、すでに 1 億 7000 万人の感染者、370 万人の死者を出し、第 2 次世界大戦以来最悪の景気後退をもたらしている。それによる国際関係への影響について、米国では一部の識者は「深遠で長期的」と見る。

　元国務長官ヘンリー・キッシンジャーは「COVID-19 のパンデミックは、世界秩序を永遠に変えるだろう」と語り（2020年 4 月 4 日 WSJ）、マイクロソフト創業者のビル・ゲイツは 5 年前にも「今後世界が直面する出来事の中で、最も多くの死者を出す恐れのあるものは戦争ではなく、感染症のパンデミックだ」と予見していたが、今回のコロナ禍を「100 年に一度のレベル」と警告した。それに対して、ハーバード大学特別功労教授で元国防次官のジョセフ・ナイは「コロナウイルスは世界秩

序を変えない」と題する論文（2020年4月の『フォーリン・ポリシー』誌ウェブサイトに掲載）で、グローバリゼーションの終焉や米国の地政学的な優位の失墜、および中国の急速な追い上げは起きないと論じた。

　これらの見方の中には、米国オピニオンリーダーらによる、大変化への心構えを促す戦略家の心理、および現在の超大国の地位に対する自信やその凋落を見たくない心理があらわれているように感じられる。

　それに対し、ロシアの外交や戦略の専門家には、コロナ禍が世の中のすべてに「激変」をもたらすと主張する言説が多い。プーチン大統領のブレーンで、外交専門誌『世界政治の中のロシア』編集長のルキヤノフ（Fyodor Lukyanov）は、「世界のパワーバランスは加速度的にシフトし、地球規模で国家間関係に質的変化が生じている」との見解を示した。ロシア下院国際問題委員長のアレクセイ・プシコフ（Alexei Pushkov）も、コロナのパンデミック発生後の世界のトレンドは「単独覇権の能力を失った米国、支離破滅な欧州、実力急上昇の中国」の三つに集約されると展望した。「アジアの世紀」が早く到来し、西側の500年間続いた支配的地位も終焉が近づいているとの説も出ている。ロシアにとって窮屈になっている国際関係の現状を一変させ、中国の台頭を借りて西側の圧力を中和させたい意識がどこかににじみ出ている。

日本は「危機感なき茹でガエル」の様相

　2020年12月30日、EUと中国の投資協定が大枠合意された（2021年6月時点では批准手続きは一時凍結中）。直前にはト

ランプ政権が、そして選挙で勝ったバイデンチームも、EUに「再考せよ」「待て」とけん制したが、メルケル独首相とマクロン仏大統領に代表されるヨーロッパのリーダーたちは、米中の対立、コロナ禍による秩序再建をチャンスと見て、米中の対立と争奪戦を逆手にとってヨーロッパの再起に取り掛かった。

それに比較して日本はどうだろう。政府とオピニオンリーダーたちの見方は二つに集約しているように思われる。一つは経済面での影響の深刻さを強調すること。内閣府が2020年11月に公表した報告書「世界経済の潮流」は、コロナによる世界経済への影響について「スピードと深さ、国際的な広がりの速さで、短期的には大恐慌やリーマン・ショックを上回るほどのショックだった」と指摘した。一方、国際関係においてトランプ政権の自壊作用を憂慮しつつも、米国の圧倒的国力、自己修復能力を重視する代わりに、「中国が孤立する」といった見方が圧倒的に多い。結局、経済面はさておき、政治外交、安全保障面についての日本国内での主流的見方は「継続」「変わらない」が望まれていることが明らかになった。日本は、ある政治、安保、科学技術のトレンドが成形化してからそれに合わせること、追い上げることが得意であると歴史的にも証明されたが、新しいトレンドの出現、特に混乱、多重的可能性を見せる変化を前に保守的になりがちとも指摘される。

しかし21世紀の新しいトレンドの形成は、コロナ禍の相乗効果も加わり、一度出遅れたら追い上げるのが難しいだけでなく、そもそも真新しい「陣取り合戦」であり、21世紀中期に向けた大戦略の布石になっている。「ゼロサム」ゲームの傾向もある。

これに関して警鐘を鳴らす日本の有識者がいる。例えば、経済同友会著、前代表幹事小林喜光が監修する『危機感なき茹でガエル日本——過去の延長線上に未来はない』（中央公論新社）と題する本には頷くものが多い。だが政治やマスコミ、社会的には、「これまでと大幅に変えなくては」との緊迫感は未だに薄い。「経済大国」「技術大国」というかつての栄光に浸る心理と、バブル崩壊後の自信喪失と閉塞感が交わることにより、「現状打破して新時代を切り拓こう」という決意も意欲も全社会においてほとんど見られない。政府も与野党の論戦も目の前のコロナ禍の対応の是非に集中しており、「百年未曽有の大変化」を安倍前首相が口にした割には、対策ないし対策の検討もまったくもって遅れている。これについて日本への提言を四つにまとめ、本章の最後に行いたい。

北京学者の展望する「コロナの世界」

　では中国はどうか。日本のマスコミや学界では「中国は覇権を求めるためにアグレッシブになっている」との見方が多い。しかし実際は、第二章で検証したように、中国は覇権を考える余裕も実力もまだない。むしろ内外情勢と中国社会の激変にともない、外交をめぐってもかつてないほど喧々諤々で対立が激しい意見や主張があふれ出ている。当局による言論規制がすぐに連想されるが、ネットユーザーが10億人以上の中国ではネットやSNSの微信（WeChat）、微博（ミニブログ）などを通じての発信は日本以上に活発なぐらいだ。

　ここでは中国の思考様式を割に的確に示す論文を二つ紹介する。

まずは、コロナ禍が全世界で第一波のピークに達した2020年6月頃に中国国際問題研究院欧洲研究所所長の崔洪建氏が執筆した「コロナ禍が世界構造の変化にもたらす二重の作用」と題する論文[1]。同論文はコロナによる国際関係への影響について、いくつかの側面を次のように指摘した。

①グローバリゼーションの後退は以前から懸念されたが、コロナ禍後、この趨勢が強まっている。感染対策において、自国優先、他国・他国民の犠牲、人種差別などの傾向が台頭した。大国間競争が激化し、国連、G20、WHOなどの国際的ガバナンスメカニズムが限界を見せた。

②国際社会としての緊急課題は、全方位で持続可能、効率的なグローバルの公共衛生メカニズムの構築にある。二国間や地域内の公共衛生協力が拡大される見通しであると共に、地球規模の人口流動、食糧供給などの分野でも長期的な影響があらわれることが予測される。

③「産業構造への影響」への展望として、主要国は新興産業サプライチェーンの「オール国内」の傾向を強め、命の安全、政治と安全保障を経済コストに組み入れていくことが挙げられる。

④「経済の地域化」がグローバル化に代わって未来の経済協力の主要な形態になる可能性がある。新しいNAFTA、EUの新協力構想、RCEPの重みは増しており、中国の対外経済戦

1　崔洪建「疫情对世界格局变化的双重作用」、北京『国際問題研究』誌2020年6月号。

略も ASEAN 諸国を軸とする RCEP、アジア太平洋地域に重点を移しつつある。

自国の慢心を戒める

　次に紹介したいのは、北京大学教授王逸舟氏が 2020 年 7 月号『当代世界与社会主義』誌に掲載した「ホットな話題と冷静な思考——新型コロナと国際関係の行方」と題するインタビュー記事である[2]。遅くとも 5 月の時点で行われたこのインタビューから、王氏の洞察力を示すいくつかの見解を取り上げたい。

①コロナ禍を経て、一部の「勝ち組」の国と、別の「負け組」の国がよりはっきりと分化するだろうと予測する。また、過去数百年の経験と教訓を踏まえて、「歴史の前進は滑らかな上昇曲線ではなく、波浪型の激震がよく発生し、経済学者ヨーゼフ・シュンペーターが言う『創造的破壊』も発生する」として、危機の中でいかにその長期的な影響と趨勢を見出し、的確で有力な対策を打ち出すかが、今後の国際関係とパワーバランスを左右する分かれ目になると指摘する。

②アジア諸国は、総じてコロナ対策において比較的功を奏しているが、中国が強力な政府の動員力を持って成功したとの説に対しては、「政治制度、イデオロギーあるいは東西の違いで単一の解釈を行うことは避けなければならない」と強調し、

2　王逸舟「熱話題與冷思考——新冠肺炎疫情與國際關系未來走向」、北京『当代世界与社会主義』誌第 3 号。

アジアではインドやインドネシア、バングラデシュなどの失敗例があれば、ヨーロッパでも一部の比較的に成功した国があるとする。

③米国の対応について、トランプ政権の失敗はコロナ対策の無為無策だけでなく、科学研究、教育、医療、福祉など各方面で予算と支出を大幅にカットした総合的要因が招く結果だと分析した上で次のように指摘する。「だからといって、これがアメリカの世紀の終わりを意味するという国内外の多くの批判者の見方に賛成しない。（中略）アメリカは不思議な国。犯す過ちは大きいが、動員・反発する力も大きい。（中略）これで衰退の一途をたどるかどうかについてはもう少し観察が必要で、簡単に結論を出すべきではない」

④中国はコロナ対策に段階的に成功したものの、その成功体験を簡単に一般化してはならないし、なおさら、他の国の参考になると考え、主張すべきではないとして、次のように冷静な判断をしている。「今回のコロナ対策が比較的に成功したので、我々のイデオロギー、政治制度、特有のやり方には世界的な輻射効果、センサー効果、伝導効果あるいは模範効果があるかもしれないとの考えが強まり、全世界各国、各地域が我々という模範から学び、中国特有の制度設定を含む経験とやり方を輸入すれば、この世界は一新されるだろうとの見方もある。しかしこのような偏狭で偏った認識と宣伝を絶対避けなければならない」

中国外交は一時期、欧米の批判に声高らかに反論し、自己主張を強めるいわゆる「戦狼外交」を展開した。トランプ前政権

のヒステリックな中国攻撃への反論である一面に理解できるものがあるが、結果的に中国の対外的イメージを損なっている。2021年5月末、習近平主席は「開放的、自信を有し、同時に謙虚で親和力ある対外説明を」と指示した。「戦狼外交」にブレーキをかけるシグナルと解釈されるが、王逸舟ら学者による冷静な進言が一定の役割を果たしたと見ることができよう。

コロナを経て上がる中国民衆の政府評価

2020年3月が中国国民による政府への評価ががらりと変化した分かれ目のようだった。1月から2月にかけては、初期対応の遅れ、「李文亮事件」に見られる言論統制への不満がSNSで集中的に爆発し、その間、当局のほうが一歩下がり、不満にはけ口を与え、政策の修正と調整に力を入れていた。

しかし3月以降、中国はあれほど猛烈な勢いで蔓延した感染症を短い期間で抑えることに成功し、代わりに医療資源がはるかに豊富で、情報と技術も持つ欧米先進国では感染が急速に拡大した。それ以降、中国の民衆、特に若い世代の間では自国政府への評価がうなぎ登りに上がった。

シンガポールの二つの世論調査機関（Blackbox Research と Toluna）が4月3日から19日まで23の国と地域で行った世論調査の結果が5月に公表されたが、それによると、中国民衆の自国政府に対する満足度は85％に達し、すべての調査対象中、一番高かった。第2位も同じ社会主義体制を取るベトナムで、77％だった。台湾は50％、日本は16％だった（2020年5月14日付『聯合早報』）。

続いて5月から6月にかけてスイスの科学出版社『フロン

ティアズ』が、世界24か国の約2万5000人の研究者に対して、「各国のコロナ対策がどの程度科学的か」に関するアンケート調査を行い、その調査結果が英『エコノミスト』誌（2020年11月11日号）に掲載された。それによると、最も「科学的」と評価された国はニュージーランド、二番目は中国だった。いずれも70％以上が「科学的」との回答だった。一方、トランプ政権の米国の対応について「科学的」と回答した研究者はわずかに20％で、約70％が「非科学的」と答えており、「最も非科学的」と全世界の科学者、研究者から烙印を押された。次いでブラジル、英国も「対応が非科学的」の評価が多かった。ちなみに、日本については、約40％の専門家が「科学的」、25％が「非科学的」と回答し、調査が行われた24の国と地域中第17位で、アジア5か国中では最低だった。

しかし、中国国内の政府評価が近年にない高さを見せているのとは対照的に、日本を含め先進国の多くは中国への評価をむしろ下げている。それにはそれぞれの原因があるだろう。米国は前述の通り、中国の迅速な台頭に初めて焦りを見せ、またトランプ政権による煽りも背景にあった。ヨーロッパではEU諸国は人権面で中国に厳しい目線を向けるが、中国のコロナ対策、経済発展については評価が高い。イギリスだけは香港をめぐる中国との対立が激化した。アジアではほぼ唯一のケースとして日本だけが中国に厳しい目線を向けている。

個々の事情についてこれ以上論じないが、特に二つの点について指摘したい。

一つは、七面体の中国に関して、もっと中国の歴史的背景とここ数十年の歩んできた道、大半の中国人の経済と生活重視の

気持ちを理解すると共に、中国のビヘイビアも深く見極めることが必要であるということだ。中国には、原則論を言いつつも、政策・応用面でかなりしなやかな柔軟性を見せる特徴がある。「一元的」と常に叫ばれ、また見せようとするが、実は「上に政策あり、下に対策ある」という「二元性」がれっきとして存在している。

　二つ目に、中国は、国内の政治体制、経済発展モデルおよび外交面で重大な危機に直面する場合、予想以上の柔軟性を見せ、「華麗なる変身」を遂げられるということ。今後の10年、20年以内に、中間層が全人口の過半数を占め、「権利意識」が大半の中国人の「普遍的価値観」になった時点で、中国の民衆は、若者を先導に、必ず民主化（もちろん欧米型体制と一致するとは限らない）を目指していくであろう。それが現体制とバッティングした場合、どういう結果が予想されるか。正直に言って、変数と可能性があまりにも多い。しかし一つ言えるのは、中国共産党指導部もオピニオンリーダーも民衆も、正面衝突で国が分裂し、内戦に陥るようなハードランディングの道は絶対避けたいことだ。すなわち、対立各方面の妥協、歩み寄りがもっとも可能性がある。これは、現政権がこれまでの路線を大幅に修正することも意味する。

　中国の行方について、少なくとも現在のスローガン、政策方針の延長で推理するだけでは未来が読めない。より多くの真の「中国通」が生まれることを期待したい。

真の「中国通」が待たれる
　次に指摘したいのは、海外、特に日本を含む先進国自身の対

中認識、思考様式における問題だ。

　近年、米国では中国バッシング世論に煽られて対中親近感を持つ国民の比率が急落したが、それよりも高い「中国嫌い」の数値を見せたのは日本だ。2020年末に言論NPOが発表した世論調査の結果によると、90％前後の日本人が中国に好感を持っていないと答えた。米国ほどの反中国キャンペーンが起きておらず、中国との人的交流が増え（コロナ直前、2019年の中国人訪日観光客は1000万人近くに上り、すべての外国人観光客の3割以上を占め、特に中国人観光客による日本での消費は全体の4割以上を占める）、経済貿易面でも中国依存度が高まっているにもかかわらず、だ。

　なぜこのような実態との大幅な乖離が生じているか。日本のマスコミ報道の「偏向」が指摘される。米国流の対中汚名化を鵜呑みにし、中国の個々の問題を針小棒大に伝えるが、その全般的な発展、進歩は伝えていないというのがその問題点だ。百年以来アジアのリーダー国であり続けた日本が中国に追い抜かれたことに加え、国内に蔓延するバブル崩壊後の「失われた30年」による閉塞感、苛立ちも相乗して、中国への報道、目線に影響したのではないだろうか。日中間で「島」（尖閣・釣魚島）をめぐる確執で国民感情が対立したこと、中国軍事力の急速な拡大で真に脅威を感じたこと、中国自身の対外報道も国内宣伝担当の中央宣伝部に管理され、国内イデオロギーの色彩が強く、外部の理解を得るどころか反発を呼ぶものも多いこと、中国の発展モデル、その合理的部分について中国自身も外部が納得するような説明枠組みを樹立していないことなども、一連の背景と原因として併せて挙げられる。

ただ、以上の諸説だけでは、中国に関する好感度が日本およ
び米国で急落した原因について、十分に説明することができな
い。

　ちょうど米国で、ある社会現象が取り上げられ、議論されて
いる。トランプ前大統領が嘘、歪曲、脱税、外国との不正（弾
劾を受けたウクライナ疑惑など）をし続けたにもかかわらず、
2020年11月の大統領選挙で依然7500万人の支持者を獲得し、
バイデン支持者とわずか数パーセントの差しかなかった。退任
後もその人気は衰えず、共和党側は彼との決別に踏み切ろうと
しない。この「トランプ現象」に関して様々な角度から研究
が行われているが、「情報繭室」、「情報のパラレルワールド」
という視点も導入されている。
筆者は、この視点は日本など
先進国の中国観における構造
的問題点を説明するのにも役
立つのではとふと気づいた。

図10-1
出典：中国のSNS

「情報繭室」の問題点

「情報繭室」という言葉は
1997年に死去した、中国の作家、思想家だった王小波氏が作
り出した言葉で、インタビューで「報道の自由」について聞か
れ、彼は「人をコントロールする方法は人が自発的にコント
ロールされることであり、報道の自由に対する制限は表象にす
ぎず、人々は心の奥底からコントロールの合法性を認めたがっ
ている」と指摘した。

　彼の語った「情報繭室」の意味は今、中国の人気ネットライ

ターによって再び取り上げられ、「インターネットやソーシャルメディアの時代には、このような自発的な統制がますます典型的になっており、各国とも、大量の情報繭房や自己洗脳の現象が起きている」と分析されている[3]。

まず米国について、同記事は次のように書いている。

　米国は言論が多元的な国であるにもかかわらず、トランプ氏の支持者たちはトランプ氏以外のすべての発信を自ら遮断し、彼のツイッターと右翼Qアノンコミュニティを唯一の情報源とし、トランプ氏の言葉だけが真理であり、主流メディアはすべてフェイクニュースであると一方的に信じ込んだ。

　トランプ氏が彼らを公然と見捨てた後（1月6日の連邦議会乱入事件後、自らの責任を否認）も、共和党員の73％は選挙に不正があると信じ、共和党員の45％は、国会突入は合法と見ている。（中略）

　彼らは、トランプ氏が大統領選挙に勝利したというパラレルワールドを自ら構築し、完全に現実から離れて、想像上の世界だけで生きている。

　情報が最も自由なはずの米国は、誰も情報源を独占しておらず、さらに誰もトランプ支持者たちに特定の情報だけを見ろと強制していないが、彼らはひたすら自己洗脳し、情報を自己制御し、「自覚的に」いかなる不協和音をもブロックし

3　「互聯網如何操控了現代人的思想」、微信公衆号「沈思的托克維爾」2021年1月15日。

ている。自分たちをある情報だけを信用する小屋に閉じ込める現象が「情報繭室」である。

　同記事は「情報繭室」の形成過程と特徴について次のように分析している。LINE、Facebook、ツイッターなどの新世代SNSが発達してくると、趣味・興味が近い人同士の小さな輪が区切られ、その中では付和雷同の意見しか認められないようになり、常に反対意見を言う人はいたたまれなくなり、自ら退出するか追い出されてしまう。しかしGoogle、Amazonなどは強力な情報収集とAI解析の機能を生かして、あなたが読みたい情報だけを提供し、あなたが不快感を持つかもしれない情報を自動的に濾過してくれる。これで人々は「居心地の良い」「情報繭室」にいつの間にか自ら籠ることになり、自分の「情報繭室」以外の人の存在を知ろうとせず、異なる情報の存在価値すら認めなくなる。

「見たい」情報の虜になっていないか
「情報繭室」の視点をここで紹介したのは、日本社会の対中疎遠は前述の各要因に拍車をかけるものとして、ネット時代のSNSの構造そのものにも問題があると考えたからだ。
　逆説的だが、中国のこの現象は日本ほど顕著ではない。なぜなら、中国人の大半は自国の情報統制を知っており、頻繁に利用する微信などのSNSで、記事が突然没になったり、発信ができなくなったりすることによく出遭っている。だから、現存の情報ソースに常に疑いをかけ、それ以外に「もっと信頼すべき情報と情報源があるはず」と信じている。ブロックされる海

外の情報にひそかに、しかし積極的にアクセスしようとする。

　筆者は講演後などの質疑応答で、「中国の若者は海外の動きを本当に知っているか」とよく聞かれる。制限があるのは事実だ。しかし制限があると意識しているからこそ、もっと別の情報を探し求める。中国各地を回る際、現地の大学生に、どうやって海外の情報を入手しているかとよく質問したが、国際問題に関心ある学生の9割以上は、VPN（全称：Virtual Private Network、「仮想専用回線」という意味）を利用して、国が設置するネットアクセスの制限を迂回する形で海外のサイトに入って情報を取得していると話してくれた。コロナ禍以前、中国から海外に出かける観光客の人数は年間2億人を超え、数千万人の海外在住の中国人や留学生が中国国内とコンタクトを取っている。確かに中国人、特に若者は日本人の想像以上に海外の情報、中国批判の情報を知っている。

　翻って日本はどうか。「情報繭室」の視点を借りて見れば、日本人のほとんどは自分が情報自由の社会に住んでおり、どんな情報にもアクセスでき、だから何でも知っていると思い込んでいる。しかし洪水のように押しよせる情報に対し、人間の頭にはそれを吸収するのに限界がある。頭がパンク状態になると、それ以上の情報収集を拒否する。「これ以上は見たくない、読みたくない」という精神状態は誰でも経験したことがあるのではなかろうか。

　ここで無意識的に「情報繭室」に閉じ込められるのである。結局、限られた時間と頭のストックの限界により、自分の知りたい情報にしか接しようとしない。LINEなどのグループで同じ意見・趣味を持つ仲間同士だけで情報・意見の交換をする。

そして Amazon などはあなたのアクセス記録を使い、ビッグデータ分析を行い、あなたのスマホや PC の画面に、あなたが読みたい情報をさりげなく提供する。

このような情報環境に長く留まれば、あなたは「我々は中国人より情報を知っている」との錯覚を持つだろう。しかしこのままでは、「情報繭室」という「自己洗脳」、「情報の自己制御」の装置から抜け出せず、「見たい」情報の虜になってしまうのが必至だ。これでは日進月歩、また多様化が進む中国の変化と躍進を見ずに「中国が嫌い」というイメージが固定化し、14 億の中国人自身の感覚からますますかけ離れていく。これこそ情報化時代の落とし穴である。

未来の世界に関するいくつかの新しい視点

先入観を排除して、コロナの影響で加速している世界、ここでは主に国際政治、国家間関係、各国の国内統治などの問題を指すが、世界はどこに向かうかについて、第三者の見方も取り入れて考えていきたい。

「シンギュラリティ」が話題になっている。レイ・カーツワイル（Ray Kurzweil）博士が 2005 年に米ヴァイキング社で出版した著書『The Singularity Is Near. When Humans Transcend Biology』（『ポスト・ヒューマン誕生』、NHK 出版）で提起した概念だ。彼は、2029 年の段階で AI の思考能力が人間の脳の演算能力をはるかに超えるとし、2045 年の時点では「10 万円のコンピュータの演算能力が人間の脳の 100 億倍になる」と表現し、AI などの技術の急速な発達が、人間より賢い知能を生み出すことが可能になる転換点が 2045 年に到来すると予測し、

その到来に伴う様々な影響、問題を「シンギュラリティ」と呼んだ。

　もう一人の遺伝的アルゴリズムのオーストラリア人研究者ヒューゴ・デ・ガリス（Hugo de Garis）博士は、同じく2005年にEtc Pubns社で出した著書『The Artilect War: Cosmists Vs. Terrans』で、近年のAIの急激な進歩から計算すると、21世紀後半にはAIの処理能力は、人間の10の24乗倍（1兆×1兆）になるとし、「シンギュラリティ」は21世紀の後半に到来すると予測している。

　ガリスは、人類は近い将来二つの対立する陣営に分かれ、片方はAIの開発に全力で取り掛かるが、他方の勢力はこれまでの倫理道徳と作法に固執し、双方の対立が全面戦争まで引き起こすと展望するが、自分がどの陣営に属するかを明言しなかった。

　この「戦争」はすでに起こっているのかもしれない。その陣営は入り乱れているが、米中などは経済技術、軍事ないし社会統治のあらゆる面でAIの導入を試みているが、大半の途上国はそれに遅れており、日本など先進国では「人権」「プライバシー」にこだわってAIのより広い分野の導入に抵抗している。もう一つの争いの場は米中競争に代表される、AI、ビッグデータ、量子技術などをめぐる覇権争いだ。

　この争い自体は本章の研究対象ではないが、これを背景に今後30年（中国はすでに2050年までの長期発展戦略を打ち出した）の国際関係の行方を見ていく必要がある。

米国の智者は自国の行方に危機感を抱く

　今後数十年への展望を念頭に、米国の存在とその役割につい

て数人の戦略的視野を持った見方を紹介する。

　バイデン新政権がホワイトハウスに新設する「インド太平洋調整官」に任命されたカート・キャンベル氏は次のようにポストコロナの世界における米国の行方を展望した。

　当面、最も重要なのは健康の確保だが、長期的に見れば、コロナがもたらす地政学的変化は世界における米国の存在に、深遠なる影響をもたらす。世界秩序の変化は、最初はいつも緩やかな量的な変化で、その後、突然に質的変化が生じる。

　過去の70年間余りの間、米国がグローバルなリーダーになれたのはその富とパワーによるだけでなく、国内のガバナンス能力、世界に公共財を供与する意欲、および国際社会の危機への共同対処におけるリーダーシップだった。新型コロナへの対応で以上の三つの能力が試されているが、そのいずれのテストも米国は今のところパスしていない[4]。

『サピエンス全史』、『ホモ・デウス』、『21 Lessons』などのベストセラーで知られるイスラエル・ヘブライ大学教授のユヴァル・ノア・ハラリ氏は、同盟国の目から見た米国の、コロナ対応におけるパフォーマンスについて次のように評した。

　近年の米国はグローバルリーダーの役から自ら降りたようだ。現政権はWHOなど国際機関への支持を取り消し、世界

4　「The Coronavirus Could Reshape Global Order」、米国外交専門誌『Foreign Affairs』電子版、2020年3月18日。

に向けて米国は真の友人がなく、あるのは利益のみという点を見せつけた。パンデミックが発生した時、米国は対岸の火事を見るように、いかなるリーダーシップも発揮していない。気候変動における米国の対応も同じだ。今後、世界的リーダーの地位に戻ろうとしても、米国政府に対する世界の信頼は地に堕ちたので、その呼びかけに追随する国はわずかだと見込まれる。米国が残した空白は他の国からも埋められていない。逆に、対外敵視、孤立主義と懐疑主義は現行の国際システムの特徴になっている[5]。

大統領選挙の民主党予選でバイデン氏と争い、今でも莫大な影響力を持つバーニー・サンダース上院議員（当時78歳、ヴァーモント州選出）は、2020年4月、「米国の今回の感染抑止に失敗した根源は米国の体制と米国の価値観にある」とし、「国民は政府を嫌悪しており、金持ちを尊ぶ価値観が政府を弱体化し、それが政府の危機対応を無力化している」とツイートし、

We must reaccess the foundational institutions of American society and determine how we go forward into a better future.（私たちはアメリカ社会の基盤となる組織を再点検し、どのようにしてより良い未来に向かうかを決めなければならない）

5　「《人類簡史》作者赫拉利：阻止全球災難，需要重獲失去的信任」、中国『新浪網』サイト2020年3月15日。

と米国の制度自身に問題の根源を見出そうとしている[6]。

求められる「脱イデオロギー」の米中観

ハーバード大学教授のスティーヴン・ウォルト（Stephen Walt）氏は、過去の一世紀あまりにわたって米国の信用とシンダーシップは、①経済と軍事実力の結合、②同盟国の支持、③米国の能力に対する普遍的信頼、という三本柱によって支えられてきたが、過去25年間、米国自身によってそれが大きく損なわれ、今後、全世界はかつてのように米国の理念と提案を真に受けなくなるとして次のように指摘した。

過去25年間、米国は貴重な評判（責任あるリーダーシップと基本的な能力）を自ら落とすことに、一連のルール違反の切符が切られた。ビル・クリントン元大統領のホワイトハウス実習生に対する無責任なセクハラ、9.11以前のテロ警告に対するブッシュ政権の無視、一連の金融詐欺、2005年と2017年のハリケーンに対する度重なる悲惨な反応、アフガニスタンやイラクでの戦争に勝利することも終結させるもできないこと、リビア・イエメン・シリアなどへの賢明でない介入、2008年のウォール街危機、ボーイング737MAX旅客機の墜落事故、共和党のリーダーが引き起こす「政府の閉鎖」などなど。それに続いてやってきたのが新型コロナの大

6　沈思的托克維爾「激変起始：桑徳斯質疑美国体制和美式価値観」、中国『新浪網』サイト2020年5月14日。

爆発だった。

　米国のグローバルリーダーシップはどのように蝕まれて
いったのか。一つの原因はその輝かしい歴史に対する傲慢
さにある。米国はずっと現代世界の中で最も幸運な国だっ
た。成功はその生まれつきの権利と思い込み、獲得・育成・
保護すべきものと考えなくなった。この傾向が逆転しなけれ
ば、米国の世界的影響力は衰退し続けるだろう。それは、米
国が「アメリカ・ファースト」の理念を掲げて世界からの離
脱を選んだからではなく、全世界が以前のように米国の理念
や提案を真剣に受け止めなくなったからなのである[7]。

　これらの智者の言葉から、自分は、米国と中国に関するダブ
ルスタンダードの見方を変えて、「統合」する必要があるとい
う強い示唆を得た。中国に問題が生じたら、直ちに「共産党体
制が悪い」ことに帰結されるが、どうして米国に対しては、そ
のような「連想」が日本のメディアでほとんどあらわれないの
か。

　米国のコロナ感染による死者は2021年半ばの時点で60万人
に達し、二回の世界大戦と朝鮮戦争、ベトナム戦争という4回
の大規模の現代戦争でのアメリカ人死者の合計数を上回った。
これをただトランプの一人のせいにして、米国の制度上の問題
と問わなくていいのだろうか。また、この20年間、米国は相
次いでアフガン、イラク、リビア、シリアで軍事介入し、その
結果、数百万人の現地民間人死者を出したが、この巨大な人道

7　「斯蒂芬·沃爾特：美国能力之死」北京『愛思想』サイト2020年4月2日。

主義の犯罪も「戦争の正義性」で帳消しできるのだろうか。

なぜ米国の問題を「制度論」で問わないのか

　いや、それはトランプ一人の責任だとの見方がある。しかしコロナ感染中、民主党の地方知事も、共和党政権に泥を塗り、実際の対策を怠ったり、死者の数を隠したりしたことが後に明らかになった。

　21年5月末、米国家安全保障局（NSA）がデンマーク情報機関（FE）の協力を得て長期にわたって、デンマークのインターネット・ケーブルを盗聴し、ドイツ、フランス、スウェーデン、ノルウェー各国の政府首脳について情報を集めていたことが暴露された。ロシア亡命中の米中央情報局（CIA）の元職員スノーデンは今のバイデン大統領はオバマ政権の副大統領として「当初からこのスキャンダルに深く関わっていた」と指摘した。

　制度といえば、トランプ氏のウクライナ疑惑などの法律違反、国家反逆の行為は証拠が明々白々なのに、弾劾が否決されれば罪に問われることがない。一部の特権階級や政府首脳に有利で、民衆は逆に巨額の訴訟費用を払えなければ正義でも悪を追求できない。これこそ資本主義、すなわち資本を有する人にとって有利な制度ではないか。本当に法治、平等、自由を追求するものなら、このような制度上の問題をまず問いただすべきであろう。

　一方、中国のことになれば、香港で暴徒が立法会へ突入し、地下鉄など公共施設を破壊したことが法律で裁かれると、日米の一部では「民主化」という大義名分の下で、すべて免罪符が

与えられ、"犯罪者"が英雄視され、彼らが法的訴追を受けると「民主化の弾圧」と非難された。

話が戻るが、ここで「米国の制度が悪い、中国の制度が素晴らしい」と言うつもりはない。それぞれの発展段階、国の事情があり、そしてそれぞれ長所もあれば短所もあると筆者は見ている。イデオロギー的に区別して、中国の問題ならすべて「社会主義体制、共産党が悪い」とし、米国の問題になると個人のせいや具体的事情にして、資本主義体制の問題を不問にするという論理に疑問を提起したい。同じ社会主義体制をとるベトナムの問題を、「社会体制」の問題として問う声は日本や米国でほとんど聞こえてこない。結局、ライバルと目され、さらに成長し続けている中国に対して、客観的で素直にその全容を見たくない心理のあらわれなのだと、中国の国民の大半はトランプ時代を経てますますそのように考えるようになった。

日本に住む自分から見れば、すなわち先進国の基準に律して見れば、現在の中国は問題が山積みだ。ただ、それは途上国の上昇段階の問題だ。発展的に見れば、真の法治と人権保障は、経済発展、生活水準と教育の向上にともなって実現していくものだ。新疆、内モンゴルなどで起きている少数民族の問題も、巨視的に見れば、近代国家形成、ネーションステートになる過程で生じるものである。すべての先進国も、国内の少数民族、マイノリティを一つの国家、法律、言語に統合する過程を経験している。マイノリティの権利の保証は、皮肉的だが、国家統合が実現した後に推進されるものだ。米国然り、日本然りだ。もちろん、中国のこの近代国家形成の過程は、21世紀の時代に合わせて現地の理解と支持をより得た上で進められるこ

とを期待したい。

21世紀は制度の競争ではないとのハラリ教授の主張

　以上の議論を経て提起したい視点は以下の通りである。

①過度にイデオロギーの色眼鏡で世界を分けて、特にダブルスタンダードで見るべきではないこと。

②各国とも事情があり、その背景と原因を具体的に検証すること。中国のことなら何でもイデオロギー的に解釈し烙印を押すこと自体、歴史を無視し、思考停止し、自国の問題から目を逸らし、中国を含む世界の行方を見誤ることを招く。

③21世紀に立って、情報化の時代、「第4次産業革命」など新しい要素を取り入れて展望すれば、今後の世界では「脱主義」すなわち社会主義でもなければ資本主義でもない、の時代に移行するのが避けられない。これがハラリ教授の予測する「データ至上主義の時代」かもしれない。[8]

　ハラリ教授の説を再度引用する。

　「（データ至上主義）この見方によれば、自由市場資本主義と国家統制下にある共産主義は、競合するイデオロギーでも倫理上の教義でも政治制度でもないことになる。本質的には、

8　ハラリ教授が提唱する「データ至上主義」の時代に関する紹介は筆者の「未来からの問いかけ」（本選書第2巻、『米中貿易戦争と日本経済の突破口』花伝社、2018年、第10章）を参照。

競合するデータ処理システムなのだ。資本主義が分散処理を利用するのに対して、共産主義は集中処理に依存する。（中略）

　資本主義が共産主義を打ち負かしたのは、資本主義のほうが倫理的だったからでも、個人の自由が神聖だからでも、神が無信仰の共産主義者に腹を立てたからでもない。そうではなくて、資本主義が冷戦に勝ったのは、少なくともテクノロジーが加速度的に変化する時代には、分散型データ処理が集中型データ処理よりもうまくいくからだ。（中略）

　これは、21世紀に再びデータ処理の条件が変化するにつれ、民主主義が衰退し、消滅さえするかもしれないことを意味している」

こうした意味で、資本主義、民主主義は絶対的ではない。中国の2050年の夢も、今から30年後に立ってみれば、一国主義、過去からの延長の視点に由来した「歴史の産物」に過ぎない。ほとんどの病気が治療可能になり、AIの能力が人間を圧倒するといった新しい決定的なファクターを視野に入れて今後の国家間関係、日本や中国、米国の行方を展望すれば、一つの結論が見出される。つまり、各国政府がいかに第4次産業革命を国家統治のすべての分野に取り入れ、「ガバナンス能力」を高めていくかが最大の競争になるということだ。

　実は中国も米国も「ガバナンス能力」の競争に乗り出している。

　習近平主席は、2020年9月に国連総会のオンライン会議で行った演説において、「貧富の格差、発展の溝などの重大な問

題に直面し、政府と市場、公平と効率、成長と分配、技術と雇用の関係をうまく処理し、発展がバランスで完全になり、発展の成果が異なる国と階層、グループに公平に利益をもたらすようにしなければならない」として、「政府と市場」「公平と効率」「成長と分配」「技術と雇用」の関係をうまく処理すること、発展がバランスで完全になること、発展の成果が公平に各階層に利益をもたらすことを「ガバナンス能力」の内容として提起している。

前出の中国の国際問題専門家の崔洪建氏の論文も同様な見方を示している。

　イデオロギー的思考様式が引きずられており、コロナ禍の対応をめぐって「制度の比較」の議論が続くが、究極的には国家のガバナンス能力が試されており、社会構造・文化・資源のトランスフォーメーションなどの総合能力の強化が各国の急務だと強調したい。確かにフランシス・フクヤマも似たような見解を出しており、彼は「感染危機の対応にあらわれる分岐点は東方の専制と西側の民主主義ではなく、国家の能力と政府に対する信頼である」と指摘している。

日本の対中外交への四つの提言

急速に伸長している中国が、米国からのバッシングを逆手にとって、危機意識をもって国内をまとめ、第4次産業革命の成果を大胆に取り入れて、繰り上げて10年以内に米国と肩を並べる国を目指している。これに比較して本来は技術の進歩を一番の国是とすべき日本は未来に向けた心構えができているのだ

ろうか。

　最後に、本書各章の検証と分析を踏まえ、日中関係を専門と
する筆者から、日本の対中外交と対中認識に関して四つの提言
をしたい。

　第一は、アメリカが長期的に見て次第に衰退し、中国が台頭
するというビッグトレンド、大きい趨勢を感情抜きに把握する
必要があるということ。中国は個々の具体的分野、事象での問
題が多いが、そのマクロ的統合能力、巨大国家ゆえの「相乗効
果」、柔軟性、学習能力を持つ限り、一段と全面的に伸びてい
く成り行きは変わらない。

　中国は歴史的経緯、発展段階により、社会主義体制を現在
取っているが、経済発展、社会中間層の拡大、権利意識の向上
に伴い、自由・民主主義という価値観を受け入れていく方向性
が避けられない。この大きな流れを認識し、社会体制の対立を
過度に強調すべきではない。

　第二、第４次産業革命の波をもっと深く認識し、イデオロ
ギー的な捉え方を超えて、日本自身の努力方向として定めると
共に、日中協力の新しい梃子になるとの見方も必要である。今
の日本では、中国のビッグデータ、AIなどの開発と運用の話
になるとすぐ「監視カメラ」「人権無視」と連想され、マイナ
スのイメージが定着してしまう。しかし監視カメラの数でいえ
ばニューヨーク、ワシントン、ロンドン、パリなどでは中国に
負けないし、新技術革命の新たな方向を代表する本質の一面も
ある。人権、プライバシーとの両立は確かに考えるべきだが、
各国の「監視カメラ」の大半は交通事情の把握、ビッグデータ
の収集・運用にも使われている。

ビッグデータが次の時代の経済と産業を左右していくという方向を見極めて、日本こそ「監視カメラ」（ここでは、ビッグデータの収集と処理能力、個体識別番号＝ナンバーカードなどの活用を意味）をもっと導入すべきだ。日中経済協力の角度から見れば、中国のAIバーチャル技術と日本のリアル実体技術との結合ができれば、それこそ世界をリードする技術と産業を創出できるだろう。

　ちなみに、日本でDX（デジタルトランスフォーメーション）という言葉が流行っているが、それを取り入れた企業は2020年初めの時点で全体の8％しかない（電通デジタル調査レポート、2020年12月18日）。一方、中国のデジタル経済はGDPの36.2％を占め、GDP成長率への寄与度は67.7％に達する（2019年）ところまで急速に拡大している。さらに、日本国内でのDXは「業務効率化」や「自動化」など企業のコストを下げることに注目が集まりがちだが、中国では、デジタル技術を活用した新たな経済圏が拡大し、新たなビジネスが生まれることが着目されている[9]。

中国への「建設的なアドバイザー」になれ

　第三、今の中国が経済発展、技術の追い上げ、格差の是正、環境対策など一部の分野で成功しているものの、このままの延長で世界のリーダー国になるとは思えない。国内で政治、社会、民族問題などいろいろとクリアしていく必要があり、同時に世

[9]　カリン「DX先進国の中国から考えるアフターデジタル」、AI専門ニュースメディア『AINOW』2020年11月12日。

界との付き合い方も学ぶ必要がある。中国は数千年にわたってユーラシア大陸の東方で文明を育んできたが、現代世界に進出し、その仲間、システムの一員になったのは日が浅い。懸命に学習中だが、メンツもあり、あからさまに批判されると言い返したくなる。それに対し、日本はアジアの文化を最も理解する先進国の一員である。日本自身の先進国への脱皮過程の経験からも、欧米世界との付き合い方など、中国に助言できるものが多い。中国は内外政策を打ち出すにあたり、よく「日本の経験と教訓」を調べており、本音としては日本の助言を期待するところが多い。日本はこのような中国の本音を理解し、中国に対して建設的なアドバイザーになれるか、自分は期待したい。中国のこの40年の改革開放時代を調べたら、日本から数々の助言を受け入れたことが分かる。さらにいえば、日中とも東洋の一員として、東洋の文化と価値観を世界に提示し、もっと調和的な世界の構築に協力して貢献できるはずである。

　最後に、日本自身の外交進路について。安全保障に極めて敏感な海洋国家として、現時点で日米同盟に頼りたい心理は分かる。しかし「日米同盟」は、本来は日本の外交、国益のための存在のはずなのに、いつの間にか「日米同盟」ありきで、それが日本外交の前提であるかのような思考様式になっていると感じられる。世界を見渡せば、米国と同盟関係を持っている国はほかに多数あって、ドイツでも韓国でも、うまく自分の国益を見据えた上で米国と組んでいる。プラスになる部分はそれを活用し、自分の国益から見て米国と利害関係の不一致があれば自国の利益を優先にし、ある種の「是々非々主義」を取っている。日本は長期的な視野（米中両立の時代、第4次産業革命

の影響など）を持ち、自国の真の国益（安保のみならず、経済、人的交流、近隣諸国との信頼関係も含む）を見据え、主要国としての責任（特にアジアの共同繁栄の維持において）を果たし、「きらりと光る」国になれるか、まさに今問われている。

　本書の趣旨を踏まえて展望すれば、日本は内政と外交の両方とも、もっと時代の流れを掴むこと、思考停止を打破すること、未来の可能性をもっと見極めて自己変革していくことが求められている。日本の将来について、そんなに悲観する必要はない。白村江の戦、蒙古来襲、黒船の到来、戦後の米軍占領といった重大な危機に瀕する度に、日本はほかの国より早く変革、変身ができた。その意味で今の日本に必要なのは、21世紀はこれまでの常識が適用せず、発想転換・自己改革をしないと未来がない、という危機意識の全社会での共有である。

編著者：朱 建榮（しゅ・けんえい）

1957年、上海生まれ。中国・華東師範大学外国語学部卒、1992年、学習院大学で博士号（政治学）を取得。1986年に来日し、学習院大学・東京大学・早稲田大学などの非常勤講師を経て、1992年、東洋女子短期大学助教授、1996年より東洋学園大学教授となり現在に至る。その間、2002年、米国ジョージ・ワシントン大学（GWU）客員研究員、2007年、英国ロンドン大学東洋アフリカ学院（SOAS）客員研究員。著書に『毛沢東の朝鮮戦争』（岩波書店 1991年）、『中国2020年への道』（日本放送出版協会 1998年）、『毛沢東のベトナム戦争』（東京大学出版会 2001年）、『中国で尊敬される日本人たち』（中経出版 2010年）、『中国外交 苦難と超克の100年』（PHP研究所 2012年）、訳書に、沈志華『最後の「天朝」 毛沢東・金日成時代の中国と北朝鮮』（上下巻、岩波書店 2016年）、呉士存『中国と南沙諸島紛争──問題の起源、経緯と「仲裁裁定」後の展望』（花伝社 2017年）、編著に『世界のパワーシフトとアジア』（花伝社 2017年）、『米中貿易戦争と日本経済の突破口──「米中トゥキディデスの罠」と「一帯一路」』（花伝社 2019年）など多数。

加速する中国／岐路に立つ日本──ポストコロナ時代のアジアを考える

2021年8月10日　　初版第1刷発行

編著者 ── 朱　建榮

発行者 ── 平田　勝

発行 ──── 花伝社

発売 ──── 共栄書房

〒101-0065　東京都千代田区西神田2-5-11出版輸送ビル2F

電話　　　　03-3263-3813

FAX　　　　03-3239-8272

E-mail　　　info@kadensha.net

URL　　　　http://www.kadensha.net

振替 ──── 00140-6-59661

装幀 ──── 水橋真奈美（ヒロ工房）

印刷・製本─ 中央精版印刷株式会社

ISBN978-4-7634-0976-8 C0036

世界のパワーシフトとアジア

新しい選択が迫られる日本外交

朱建榮　編著

定価：1,650円（税込）

●台頭する中国に危機感を煽るだけでよいのか──？
駐日大使や大学教授、ジャーナリストなどによる最新の報告
と提言。

日中国交正常化 45 周年から、日中平和友好条約 40 周年へ
新たな世界の潮流を見つめるために

米中貿易戦争と日本経済の突破口

「米中トゥキディデスの罠」と「一帯一路」

朱建榮　編著

定価：1,650円（税込）

● 「一帯一路」構想はアジアに何をもたらすか

米中貿易戦争勃発や、グローバルサプライチェーンなどの「地殻変動」、臨界点を超えた科学技術、第4次産業革命の進展、世界が「データ」に飲み込まれる時代……

日本経済の活路はどこにあるのか──？
実業界、経済学者が提案する新たな経済のかたち

米中新冷戦の落とし穴

抜け出せない思考トリック

岡田 充

定価：1,870円（税込）

● 「米中新冷戦」はなぜ虚妄なのか

コロナ・パンデミックに揺れる世界

新冷戦は「蜃気楼」だったのか？

バイデン政権誕生でどう変化するか？

米中対決下の日本とアジア――

日本の選択と将来を読む

中国と南沙諸島紛争

問題の起源、経緯と「仲裁裁定」後の展望

呉士存 著／朱建栄 訳　　　　　　定価：3,850円（税込）

●平和的解決の道はあるか？
中国の南シナ海問題の第一人者による
中国の立場・見解の全容の解明

　——南シナ海を沿岸国の「共通の庭」と提言した
著者の真意は？

コロナ後の世界は中国一強か

矢吹　晋

定価：1,650円（税込）

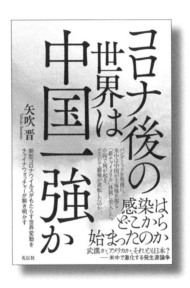

●感染はどこから始まったのか

武漢か、アメリカか、それとも日本？──米中で激化する発
生源論争。パンデミックを契機に、米中は中国が主導権を握
る「新チャイメリカ」体制に突入した。中国で何が起き、ど
うして覇権が逆転したのか。新型コロナウイルスがもたらす
世界変動をチャイナウォッチャーが解き明かす。